KB034983

독자님, 이렇게 책으로 만나뵙게 되어 영광입니다.

블로그, SNS, 유튜브 등에 이 책을 읽은 리뷰를 남겨주시면

큰 힘이 됩니다.

리뷰에는 사진을 찍어 올려주시면 더욱 감사합니다♡

동영상으로 촬영하셔도 됩니다.

독자님의 따뜻한 감상평은 독서의 시간을 더욱 아름답게 할 것입니다.

앞으로도 더 좋은 책으로 만나뵙겠습니다.

서른다섯, 다시 시작해

서른다섯, 다시 시작해

초판 1쇄 발행 | 2020년 5월 4일

지은이 | 강혁모
펴낸이 | 김지연
펴낸곳 | 마음세상

주 소 | 경기도 파주시 한빛로 70 515-501

신고번호 | 제406-2011-000024호
신고일자 | 2011년 3월 7일

ISBN | 979-11-5636-399-6 (03810)

원고투고 | maumsesang2@nate.com

*값 13,200원

*마음세상은 삶의 감동을 이끌어내는 진솔한 책을 발간하고
있습니다. 참신한 원고가 준비되셨다면 망설이지 마시고 연락
주세요.
이 도서의 국립중앙도서관 출판예정도서목록(CIP)은 서지정
보유통지원시스템 홈페이지(http://seoji.nl.go.kr)와 국가자료
종합목록 구축시스템(http://kolis-net.nl.go.kr)에서 이용하실
수 있습니다. (CIP제어번호 : CIP2020014902)

서른다섯, 다시 시작해

강혁모 장편소설

마음세상

제1장

내가 되고 싶었던 나

1

2019년 3월 18일, 공연 날.

"야야, 대충했으면, 비켜봐! 나도 좀 하게."

성우가 손을 빠르게 휘저으며 자리를 밀쳐냈다. 다급한 목소리에 긴장하고 흥분한 모습이다. 자리에 앉아 심호흡을 하며 거울을 바라봤다. 두꺼운 파운데이션 위로 기어이 삐져나오는 주름에서 여러 생각이 스친다. 고개를 두세 차례 흔들고 눈을 감는다. 고요한 정적에서 빨라진 심장 울림이 느껴진다. 어색하고 불편한 긴장감, 꽤나 오랜만이지만 반갑다.

'박성우! 무대만 생각하자.'

성우는 비록 쇼핑몰 앞 장기자랑 이벤트가 마지막 무대라지만, 어렸을 적부터 크고 작은 경험이 적지 않다. 태어나서 이렇게나 뭔가에 몰입한 적이 있을까 싶을 정도로 열심히 준비했다. 대사 하나하나의 느낌을 기억한다. 총 열네 곡에 해당하는 노래와 안무는 머리로 떠올리기 전에 이미 자연스럽다. 혹여 잊어버린다고 한들 관객을 흔들어 놓을 애드리브도 준비했다.

"난 정말 지금 여기서 왜 이걸 하고 있는지 여전히 납득이 가질 않는다."

성우의 성화에 옆으로 비켜 앉은 명주가 여전히 볼멘소리하며 고개를 가로젓는다. 난생처음 화장이란 걸 하는 자신이 웃기면서도 도저히 믿기지 않는다는 표정이다.

"어떡하지? 노래가 생각이 안 나."

영훈은 여전히 음정과 박자를 창조해가며 단체곡들을 되뇌고 있다. 어색하게 걸쳐 입은 화사한 색감과 무늬로 덧칠한 와이셔츠가 눈길을 끈다. 와이셔츠는 리허설을 하기도 전에 이미 땀으로 점철돼 있다.

"괜찮아, 오빠. 할 수 있어. 일단 심호흡 한 번 해 보자."

은정이 그런 영훈을 타이르듯 말한다.

"아, 김영훈. 음정이 그게 아니라고. 당일에도 되지가 않으니 이거 참 그냥 네 느낌대로 가자. 대신 독백은 마음대로 해도 되는데 단체곡만 제발 망치지 마. 안된다고 이상한 짓 하지 말고!"

마침 미진이 영훈을 지나치다 읊조리는 노래를 듣고는 한마디 툭 던졌다.

"응, 미진아. 걱정 마."

"오빠, 표정은 왜 그래? 아까 전화하러 나가던데, 또 팀장이 뭐라고 했지?"

"아, 은정아, 별거 아니야. 신경 쓰지 마. 긴장해서 그래."

"아니긴 뭐가 아니야. 오빠가 맨날 그렇게 당하고 가만히 있으니까 쉽게 생각하고 그러는 거잖아. 오빠도 좀 화를 낼 땐 낼 필요가 있다고. 우리 결혼 얘기는 어떻게 됐어? 아직도 안했지?"

"아, 응. 아직 시간 있으니까. 일단 공연부터 마치고 하려고. 알잖아, 오빠 동시에 여러 개 못하는거."

"오빠, 이 공연 자체가 이미 여러 개거든. 우리 당장 다음 주에 웨딩사진 촬영해야 한다고!"

아직 켜지지 않은 어둑한 무대 조명 아래 민석이 여전히 낯선 동작을 애쓰고 있다. 멋이라고는 하나도 묻어나지 않는 움직임이 요 몇 개월간 자신과 주변에게 일어난 변화에 맞춰 나부낀다.

"황민석, 너도 그만 좀 하고 빨리 준비해."

이곳저곳에서 소리쳤지만 들은 체도 않는 민석이다. 동작 하나하나와 대사

한마디 한마디를 되새기며 지난 과거를 되짚는다.

"야야야, 지금 쓸데없이 노닥거리고 있을 시간 없어. 최명주! 예슬이는 못 오는 거지?"

모두 예슬이 오지 못할 거라는 건 알고 있다. 굳이 직접적으로 짚어내지 않을 뿐이다. 이제 알게 된 예슬은 모두와 함께 지낸 그것과는 달랐다. 끔찍할 만큼 엉망인 세상에서 오직 혼자였다. 마냥 행복하게만 보였던 예슬은 끊임없이 버텨내고 이겨내고 있었다.

"예전엔 몰랐는데 가정환경이라는 게 정말 중요한 것 같아, 예슬이를 봐."

무심결에 몇 번이고 꺼냈던 이 멍청한 말들. 예슬은 들으면서 무슨 생각을 했을까. 예슬의 모든 것은 예슬이 말하고 보인 것이 아니라 그렇게 보고 결정 내린 우리들이 만들고 투영시킨 기대였다.

2

황민석 시험 하루 전.

시계 소리가 다섯 시를 향해 먹먹한 공기를 꽉 채운다. 뜬눈으로 해가 떠오르길 기다린다. 지금 바로 시험장에 들어섰으면 하는 간절함이 들 정도로 많은 시간을 준비했다. 눈 뜨고 숨 쉬는 대부분을 하숙집을 마주한 여기 독서실에서 보냈다.

민석은 어제도 바래진 체육복과 모자를 눌러쓰고는 삭막한 책상을 향해 의자를 끌어당겼다. 대략 열 시간하고 여섯 시간이 지났다. 비슷한 행색들이 불규칙하게 내뱉는 한숨과 기지개 소리와 함께 읽고 풀었던 문제를 몇 번이고 다시 짚어간다.

책꽂이에 꽂혀 있는 두꺼운 책들의 단어와 음절을 넘어 쉼표, 마침표까지 외울 정도다. 새로이 장만한 책도 어느새 머리부터 발끝까지 다시 한번 뚫어질 정도로 밑줄이 그어졌다. 형형색색의 형광펜이 책들의 심장부를 새까맣게 덧칠했다. 책은 또다시 형체를 알아볼 수 없을 만큼 찢겨지고 구멍이 나고 새까맣게 너덜너덜하다. 이따금 때 묻은 이 책들이 남들은 알지 못하는 그간의 노력을 대신 말하고 인정해 주는 것 같다. 쓸데없이 뿌듯하고 대견스럽기까지 하다. 책이라면 항상 새것처럼 온전히 다루기를 바라는 사람이 있다면 민석이 바로 그랬다. 민석은 이제 책 상태 따위야 아무래도 상관없다.

기분 나쁜 긴장감이 엄습한다. 자신감은 무너지고 막막한 불안감만 켜켜이 올라온다. 지겹도록 반복적인 이 생활, 익숙해질 만도 한데 익숙해지지 않는다. 한때는 합격한 모습을 상상하기도 했지만 머릿속을 괴롭힐 뿐이다.

오늘도 습관처럼 몸을 일으킨 민석은 얼굴에 물을 찍어 바른다. 일 년 내도록 입은 체육복 바지에 다리를 쑤셔 넣고 어딘가 구겨진 티셔츠의 향기를 맡아본다. 삼 일째지만 뭐 이 정도는 괜찮다. 검은색 모자를 눌러쓰고 독서실로 향한다. 같이 공부하는 친구들이 있긴 하지만 어느 대학을 나왔는지 나이가 어떻게 되는지 서로 묻지도 알려고 하지 않는다. 하긴 굳이 물어보지 않아도 민석의 연식이 가장 오래돼 보인다.

민석은 지금 하숙집에서만 거의 십 년째 살고 있다. 지하 1층, 지상 5층의 오피스텔 건물이다. 층마다 대여섯 개 정도의 방이 있다. 주인 할머니와 할아버지는 맨 위층을 쓰신다. 두 분은 하숙생들을 자기 자식처럼 여긴다. 몇 번이고 그렇게 말씀하신다. 말이 꽤 많으신 분들인데 자식 얘기를 하는 법은 없으시다. 궁금하지만 굳이 물어보지는 않는다.

할머니는 하숙생들에게 식사를 차려주시고, 할아버지는 매일 새벽 여섯 시면 동네 구석구석을 청소하기 위해 빗자루를 들고 나선다. 민석은 밥을 먹을라치면 지하 1층에서 5층까지 올라간다. 처음 들어올 때만 해도 3층 계단에 올라서면 바로 위치한 방에서 지냈지만, 몇 해 전 조금이나마 더 저렴한 지하 방으로 옮겼다. 엘리베이터가 없다는 것이 문제라면 문제다. 이따금 귀찮기도 하지만 워낙에 솜씨 좋은 음식들이 생각나 결국엔 챙겨 먹는다. 고급스러운 핑계다. 밥값을 아껴야 하기 때문에 악착같이 하숙집에서 밥을 챙겨야 한다. 보증금 백만 원에 월 사십 만 원. 이 정도 위치에 밥까지 처리할 수 있는 이 하숙집, 민석에게는 모든 면에서 완벽하다.

옮기는 것을 고민한 적도 있다. 민석으로서는 정이 넘친다는 두 분의 사소한 호기심들이 버거웠던 것이다. 다행히 어려워하는 민석의 표정과 눈빛을 읽으셨는지 점차 두 분의 궁금증 섞인 질문들은 희미해져 갔다. 민석의 몸에 밴 경직함이 절대 물러서지 않을 것 같은 어르신들의 호기심마저 민망하게 비켜 세운 것이다. 그 어려운 걸 민석이 꿋꿋이 해냈다.

그렇게 이 하숙집에서만 벌써 십 년째 살고 있다. 간혹 졸업 후 취업 준비를 위해 붙어 있는 친구들이 있긴 하지만 십 년이 넘도록 하숙집에 머무르고 있는 것은 민석이 유일하다. 아마 어디를 예로 들더라도 민석 말고는 없을 것이다. 대학가 하숙집의 정확한 정의는 모르겠으나, 통상적으로 학교에 다니는 학생들을 위한 공간으로 이해하고 있기 때문이다. 민석은 6년 전 졸업했다. 물론, 졸업식에는 가지 않았다.

독서실은 하숙집을 마주하고 있다. 방을 나서면 바깥 날씨를 확인할 겨를도 없이 도착할 수 있는 거리다. 독서실 1층 편의점에서 대충 초코바와 우유로 끼니를 때우고 자리를 찾아간다. 앉자마자 의자를 책상 앞으로 바짝 끌어당기고 새까맣게 바래진 회계의 원리를 펼친다.

'후, 짜증 난다.'

'아! 아! 아!'

혼잣말 횟수가 눈에 띄게 잦아졌다. 원래도 하곤 했지만, 화장실이나 갇힌 공간에 있을 때만이었다. 요즘 들어서 심한 욕설도 불쑥 뱉는다. 처음 몇 번은 스스로 놀라 자책하기도 했다. 몇 번 반복되고서부터 그러려니 하고 넘겨버리는 중이다. 다행히 주변에 누가 있거나 하면 의식을 해서인지 조심을 하긴 한다.

'내가 정말 잘못된 선택을 한 것일까. 하지만 내가 지금 이것 말고 할 수 있는 게 뭐가 있지?'

민석은 시험을 하루 앞둔 지금 이 순간, 어쩌다가 여기까지 왔는지 자신의 선택을 의심하고 불안해하고 있다.

'나는 무엇을 위해 지금 밤을 새우고 있는 건가. 어떤 생각을 하며 살아왔고 살고 있는 건가, 회계사가 되고는 싶은 건가.'

'나란 놈 참 쓸데없다.'

공부라고 하면 어렸을 적부터 어디를 내놓아도 빠지지 않던 민석이다. 민석은 학창 시절 변변찮은 학원 하나 없던 그 시골 동네에서 전국 모의고사 상위 1%를 놓친 적이 없었다. 오늘은 그 시절 최소 판검사나 의사 혹은 어느 번듯한 기업에서 승승장구하고 있었을 민석이 열 번째 치르는 회계사 시험을 하루 앞둔 날이다.

명주와 민석, 영훈과 성우, 그리고 예슬까지 용케도 여태 서로를 친구라 부른다. 대략 *끈끈하기*까지 하다. 민석은 학창 시절 친구들을 무시하는 언행으로 종종 분란을 일으켰지만 이들만은 줄곧 친구로 여기고 나름 살갑게 대하고 있다. 정작 당사자들은 느끼지도 눈치채지도 못했겠지만 아무튼 민석으로서는 그랬다. 이들이 뭉치게 된 배경에는 부모님들끼리 서로 알고 지내 어렸을 적부터 숱하게 봐온 사이라는 것도 있긴 하다.

2014년 12월 31일, 서른을 맞이한다는 아름다운 꼬임을 내세워 명주가 민석을 억지로 불러냈다. 서른맞이 기념이라고는 하지만 만날 때마다 반복하는 유치한 말싸움이 당연하듯 시작됐다. 어느새 서로 잡아먹을 듯한 괴성을 지르는 익숙한 레퍼토리를 그대로 따라간다. 그리고 그 레퍼토리가 끝나가는 기억의 끝자락. 마음 놓고 소리치고 웃을 수 있는 자리는 여기가 유일하다며 일 년에 한두 번이라도 꼭 모이자고 성우와 명주가 서로 죽이 맞아 으름장을 놓았다. 이때부터였을 것이다. 덕분에 매년 민석의 생일과 시험 날이면 시간을 내 모이고 있다.

3

민석은 아직도 지난 생일날만 생각하면 주먹에 힘이 들어간다. 그날 명주에게 화를 내지 못한 것을 불쑥 불쑥 곱씹게 되는데 그럴 때마다 울분이 터진다. 손가락 마디마디 땀이 고이고 꾹 참고 있던 신음 소리를 저도 모르게 뱉어낸다. 정확히는 비참하다.

2018년 6월 1일, 황민석 생일.

명주와 성우, 영훈이 민석을 찾았다. 민석이 요즘 사람이라고 만나는 것은 이들이 전부다. 언제나처럼 모임을 이끈 명주는 특별히 이번만큼은 예슬도 꼭 와주기를 바랐으나, 좀처럼 시간을 맞추기가 어려워 넷이 모였다.

물론 이번 생일도 찾아온다는 연락을 처음 받았을 때, 민석은 시험 핑계로 거절했다.

"야, 전화 좀 빨리 받아."

"아, 왜."

"31일에 뭐 하나?"

"뭐 할 것 같은데, 난 빼줘."

"뭐 얘기도 안 했는데 빼달래."

"뭐든."

"야, 우리가 벌써 서른다섯이야. 아무튼 이 역사적인 날을 그냥 넘길 수가 없다. 암튼 애들이랑 그쪽으로 갈 테니까 그렇게 알고 있어."

"싫다고."

오지 말라고 해서 오지 않을 애들이 아니지만, 그 어떤 핑계를 대고서라도 누구와도 보고 싶지 않을 뿐이다. 그건 유일한 친구라고 할 수 있는 이들도 마찬가지다. 지금 민석은 나이가 어떻든 대통령이 누가 된들, 태어날 날이라야 아무래도 상관없다.

따지고 보면 민석에게는 원래부터가 누구와의 어떤 관계라는 것이 크게 의미 없었다. 가령, 어렸을 적부터 여기저기서 떠들어대는 의리라는 것이 왜 꼭 필요한 것인지 이해할 수 없었다. 그냥 형식상으로 보여주고, 보이고 싶은 것뿐이라고 생각했다.

'야, 너 우리까지 피하면 인생 자체가 상실되는 느낌일 거야. 우리도 그럴

것이고, 하루만 비워.'

명주가 민석을 꾀어 낼 때 자주 쓰는 말 중 하나다.

'상실.'

사실 이러나저러나 상관없다. 뭔가 바람이나 쐬고 오자는 생각이었다. 민석은 정말 이번이 마지막이라는 간절함 때문인지 올해는 유독 전에 없던 극심한 불면증에 시달리고 있었다.

이날 생일 파티는 당연하다는 듯 민석의 하숙집 근처 백반집에서 이뤄졌다. 보통 생일날 모인다 치면 민석의 하숙집 근처에서 만나는 경우가 많은데 우연히 들어선 이 백반집을 알게 된 후 시작은 늘 여기다. 물론 끝이 되기도 한다.

일반 가정집을 개조한 음식집이다. 들어서자마자 아무렇게 놓인 테이블 네 개가 보인다. 학교 근처 식당으로 저렴하면서 맛도 괜찮다. 요즘 말로 가성비 좋은 이 곳 식당의 테이블들은 식사 시간이면 항상 주인을 맞이하는 것 같다. 널찍한 온돌방이 식당 안쪽 낮은 계단으로 연결돼 정면으로 보인다. 그 위 공간은 벗겨진 은색 백조 무늬의 빽빽한 좌식 테이블이 백반집과 완벽한 조화를 이뤄내며 드라마 속 70년대를 재현하고 있다. 거기에 시골 가정집에 붙어 있을 법한 화장실이 구석에 자리 잡고 있는 걸 보면 확실히 요즘 친구들이 선호하는 느낌은 아니다. 발길이 닿은 것도 아마 왠지 맛집일 것 같은 친숙한 허름함 때문일 것이다.

일찍부터 모여 해장이나 하고 헤어지자고 문을 열었다.

"뭣이여 취했어? 시간이 몇 신데 술 냄새를 풀풀 거리고 지랄이여, 지랄은."

언제 봤다고 쏟아내는 적당히 듣기 좋은 욕지거리가 술을 불렀다. 그렇게 해장하러 간 그 자리에서 몇 시간이나 내리 앉았다. 조미료가 듬뿍 들어간 반찬과 김치찌개를 앞에 두고 이게 바로 고향의 맛이라며 극찬을 쏟아냈다. 성우와 명주가 죽이 맞아 아주머니와 대화를 주고받았으며, 그 후부터 여기는 꼭 가야 하는 곳이 됐다. 가끔 메뉴에도 없는 음식도 미리 말만 하면 내어주신다. 뭐 물론 돈은 일부러라도 더 많이 챙겨 드렸다. 이렇게 생각하면 아주머니의 사업 수완은 꽤 좋은 편이라고 볼 수도 있겠다.

최근 들어서는 갈때마다 민석을 일컬어 혼자 나와 살면 고기를 잘 챙겨 먹어야 한다며 삼겹살을 사들고 가고 있다. 그럴 때면 아주머니는 일회용 버너를 꺼내주신다.

"또 고기야? 아, 이것들아! 고기만 처먹지 말고 야채도 좀 같이 먹어."

오늘은 특별히 고기와 같이 먹으라며 갓 담근 열무김치와 동치미를 잔뜩 내어 주셨다.

"와, 이게 또 뭐라! 나 또 눈물 나려고 하네. 역시 우리 이모님 최고!"

"우리 이모님, 충성. 아, 맛이 기가 막히다! 진짜 기가 막혀."

명주와 성우가 아주머니의 말을 받아치며 분위기가 또 순식간에 반짝였다. 어떻게 보면 이들과 정반대 성격을 지닌 민석이 지금까지 친구로 지내고 있는 것은 서로가 서로에게 놀라운 일이기도 하다. 민석이 항상 이해하지 못하는 바로 그 의리를 외쳐대는 족속의 대표주자가 명주와 성우기 때문이다.

"인간관계가 최우선이야." 명주의 단골 멘트다.

하긴 의리를 무엇보다 소중하게 생각하는 명주도 요즘 들어 그런 쪽으로 말을 아끼긴 한다.

"요즘 사람 사귀는 것이 귀찮기보다 무섭다는 것을 하루가 다르게 어떤 식으로든 무겁게 느끼고 있다."

이것저것 알아가는 것이 많아지는 만큼 생각이 복잡해진다며, 많이 마신 날이면 어렵게 꺼내기도 한다.

이번 민석의 서른다섯 생일에도 명주는 이 주제를 등장시켰다.

"그렇기 때문에 아무 생각 없이 만나서 웃을 수 있는 것이 얼마나 소중한 것인지를 깨달아야 한다고! 이 친구들아."

꼭 필요한 의리, 정말 내 사람들에게 더 잘해야 한다고 외쳐대는 것이 확실히 예전과는 다른 것이긴 하다.

"맞아! 야, 일하느라 온종일 힘들어 죽겠는데, 술이라도 편하게 마셔야지."

"박성우야, 어떻게 또 얘기가 갑자기 술로 가냐."

"김영훈, 알아들었으면서 따지지 마라. 어쨌든 나도, 내 사람, 편한 사람이 좋다는 거야."

성우와 영훈 역시 나이가 들수록 편한 사람 편한 자리를 찾게 되는 것 같다는 생각에 동조한다. 또 그런 자리만을 찾아 나서는 자신들을 보면서 나이가 들긴 들었다는 걸 실감하게 된다고도 덧붙인다.

"민석아, 근데 우리가 아니, 내가 네 시험 가지고 한 번도 뭐 이래라저래라 한 적 없는 거 알지? 야, 인간적으로 이번엔 좀 끝내라. 붙든 떨어지던 이제 그만하라고."

부어라 마셔라 하면서 한껏 올라가던 분위기가 한순간 가라앉았다. 성우와 영훈은 순간 민석의 눈치를 살폈다. 그들 역시도 명주와 같은 생각을 하고 있었을 테지만 분명 극히 조심해야 하는 언행이다. 내 사람들에게 잘해야 한다고 말한지 불과 한 시간도 채 지나지 않았다. 오늘도 내내 가만히 듣고만 있던 민석이 안쓰러웠는지 못마땅했는지는 알 수 없다. 명주 본인은 민석을 생각한다고 꺼낸 말이었을 것이다. 거기에 상대방의 감정과 상황은 중요치 않았을 것도 분명하다.

분명한 것은 이런 충고와 조언은 하지 않는 편이 더 좋은것임이 틀림없다. 특히 불과 한 시간 전 명주 본인이 힘줘 말했던 내 사람에게 잘해야 한다는 의미에서 본다면 더욱더 그렇다.

"진한 관계일수록 단어 하나에도 더욱 신경 써야 해. 내 사람에게는 쉽게 상처 주는 말로 막대하면서 오늘 처음 본 사람에게는 최대한의 친절을 베푸는 것 따위는 적어도 우리끼리는 하지 말자. 가까울수록 더 소중히 조심해야 해." 이 말을 덧붙인 것도 다름 아닌 명주다.

전부 차치하고서라도 서른다섯 나이에 공부 말고 다른 경험이 전혀 없는 민석이 지금 회계사 시험을 준비하는 것 말고 다른 해결책이 있는 것도 아니다.

평소 민석이라면 맞소리를 지르고 했겠지만, 아무 말도 하지 않은 채 그대로 일어나 택시를 잡아타고 도망치듯 사라졌다. 그 자리는 그렇게 적당히 급하고 어색하게 마무리됐다.

민석은 믿었던 친구마저 그런 소리를 했다는 것에 아직도 못내 화가 치밀어 오른다. 사실 스스로 생각해도 명주가 틀린 얘기를 한 것은 아니다. 그날도 평소와 같이 소리를 지르고 화를 냈다면 '네가 잘났니, 내가 잘났니.' 하면서 어떻게든 웃으면서 마무리됐을 것이다. 민석은 그럴 수 없었던 자신에게 더 화가 났다. 그만큼 자신감도 자존감도 바닥이다. 그토록 간절했던 절실함이 어느덧 실패와 패배감에 휘청거리고 있었다.

시곗바늘은 어느덧 숫자 6을 가리키고 있다.

4

황민석 시험날.

명주와 영훈은 오후 다섯 시부터 해동상회 옆 횟집에 자리를 잡았다. 해동상회는 성우가 하는 건어물 가게다. 민석이 근처 초등학교에서 시험을 치르기 때문에 시험 날이면 여기 횟집에서 일찌감치 자리를 잡는다. 비록 그날 그렇게 헤어졌지만, 우스갯소리로 만날 때마다 내세우는 삼십 년 우정이 그 정도로 허무하지는 않다. 명주는 메시지를 남겨 놓고 또다시 날이면 날마다 반복되는 유치한 말싸움과 함께 민석을 기다렸다.

오징어회만 먹어도 고급 안주라고 유난을 떨었던 것이 엊그제 같은데, 어느새 광어니, 우럭이니 하는 것들을 자리에 앉기도 전에 큰 소리로 주문하는 자신들을 뿌듯해하며 자연스레 옛 기억을 끄집어 냈다.

"야, 그거 기억나? 왜 그 거짓말 보려고 표 예매하다가 아저씨한테 욕먹고 쫓겨났던 거." 명주가 술잔을 비우며 말했다. 명주가 고등학교 1학년이던 2000년 개봉한 거짓말은 당시 파격적인 노출과 줄거리로 크게 이슈가 된 청소년 관람불가 영화다.

"어, 맞아 맞아. 기억나. 그냥 아무 얘기 안 하고 표 달라고만 당당히 말했으면 됐는데, 네가 우물쭈물해서 눈치 채인 거 아니야?"

영훈이 또 그 소리냐는 듯 고개를 저으면서도 목소리를 높여 명주를 나무랐다.

"뭘 또 내 탓이야?"

"십 년이 지나도 이십 년이 지나도 네 탓인 건 네 탓이다."

"근데 생각해보면, 우린 왜 그 아저씨한테 혼나고 맞기까지 했냐? 안 된다고 하면 될 것이지, 가만히 맞고 있던 우리는 또 뭐고."

"너 또 '나 때문에 맞았으니까 술값 내라.' 이 얘기 하려고 하지?"

"아, 술값은 네가 당연히 내는 거고. 그때 계속 맞아서 도망치다가 무릎도 깨졌어 내가. 그래서 지금까지 무릎이 안 좋아."

"하긴 나도 그때만 생각하면 굉장히 화가 치밀어 오른다. 뭐, 암튼 그래서 대신 본 영화 그거 엄청 재밌었는데, 그 영화 이름이 생각이 안 나네."

"행복한 장의사. 또 그 얘기 해? 어떻게 진짜 레퍼토리가 한 번 안 바뀌냐? 그만 얘기하고. 야, 안주나 좀 먹어. 술만 마시지 말고."

허름한 티셔츠와 건빵바지, 다 찢어가는 운동화를 억지로 구겨 신은 성우가 들어섰다. 이제 막 장사를 마치고 온 탓에 진한 생선 비린내 섞인 땀 냄새가 명주와 영훈의 코끝을 찡긋하게 때려냈다.

짙은 눈썹과 큼지막한 코가 한눈에 들어오는 성우는 그 흔한 헬스장 한 번 다녀본 적 없지만, 원래부터 큰 키와 덩치에 장사하며 만들어진 잔 근육들이 꽤나 묘한 매력을 풍긴다.

심하게 헝클어진 머리와 새빨갛게 충혈된 눈이 어제도 한잔하고서는 힘겹게 세수만 하고 새벽을 맞이했다는 사실을 귀띔한다.

"어, 코피 왔어? 가게는 어쩌고?"

명주가 잔을 채워주며 물었다.

"일찍 접었어. 뭐 더 있어 봐야 손님도 없고 술이나 마시련다."

"그나저나 코피 오랜만에 듣는다, 진짜. 그 선생님 이름 뭐야? 암튼 요즘 같았으면 진짜 매장당할 텐데."

"매장 같은 소리 하고 있네, 네가 시도 때도 없이 코를 파니까 그렇지."

"야, 그런다고 코 파고 있는데 선생님이란 사람이 몰래 와서 팔꿈치를 확 치고 가냐."

"근데 생각해보면 그때 우리 선생님들 지금 우리 나이보다 더 어렸던 거잖 아."

"뭐, 그치. 나는 지금 아직도 정신 상태는 어린 시절 그대로인데 그때 우리 선생님들도 이랬을까."

"뭔 소리야, 한 잔 마시고 벌써 취한 소리를 해."

"시험 끝날 때가 된 것 같은데, 야 시간이 한참 지났네."

아까부터 걱정스러운 얼굴로 시계를 재차 확인하고 있던 영훈이 성우와 명주의 대화를 나직이 끊고 나섰다.

'전화기가 꺼져 있으니 잠시 후 다시 전화해 주시기 바랍니다.'

벌써 한 시간째 전화기가 꺼져 있다.

"야, 삼십 분만 더 있다가 그냥 가자."

"나이 좀 생각하고 마시라고 했지?" 명주의 말과 동시에 민석이 문을 열고 들어왔다.

표정이 많이 좋지 않다. 핸드폰은 왜 꺼놨는지 시험은 잘 봤는지 누구도 묻지 않았다. 잔이 비워지면 채우고, 비워지면 채웠다. 오늘 만나자마자 투덕거렸던 그 학창 시절 얘기들을 그대로 다시 꺼냈다. 그때보다 더 큰 목소리로 누가 들으면 충분히 다투는 것 마냥 서로를 나무라며 떠들어댔다. 마치 그때로 돌아간 것처럼 정제되지 않은 단어와 욕설을 마구 내뱉었다. 급기야 조금 조용해 달라는 항의가 들어왔다.

"나 시험 그만두려고."

민석이 더이상 시험은 없을 것이라고 선언했다. 지난 십 년간 애처로울 만큼 아슬아슬하게 떨어져 왔던 시험에 패배를 꺼내 든 것이다.

눈이 번쩍 뜨이고 일순 공기마저 조용하다. 다른 손님들도 일제히 돌아봤다. 방금까지만 해도 죽이니 살리니 하던 테이블에서 말이 줄어들자 일제히 시선이 집중됐다. 모두가 어떤 말을 해야 할지 적절한 단어와 문장이 떠오르지 않았다. 명주는 술김에 이번에 치고 진짜 그만두라는 말까지 꺼내긴 했지만, 민석이라도 우리 꿈 많던 젊은 시절에 하고자 했던 것에 끝까지 도전하면 좋겠다는 생각이 더 컸다. 그것이 민석이 진정으로 원했던 길이든 그렇지 않든 중요하지 않다. 단지 그 시절 꿈을 얘기하며 목표로 세웠던 것들에서 멀어져 가는 것이 그냥 서글프고 싫다. 어렴풋이 같은 생각을 하고 있던 성우와 영훈도 말을 잇지 못하기는 마찬가지다.

가만히 생각해보면 합격 불합격은 그리 중요하지 않았다. 누구 하나라도 나름 뜨거웠던 청춘 시절의 꿈을 이뤄내는 것. 아니, 최소한 계속해서 도전해 나가는 것을 응원했으며, 바랐다.

그 시절 꿈을 얘기하며 목표로 세웠던 것들에서 멀어져 가는 것이 서글프고 싫은 것 뿐이다.

5

민석이 아버지와 연락을 끊은지도 벌써 3년째다. 민석과 늘 비교 대상이었던 사촌 형둘은 한의사를 하고 있고, 이름만 대면 아는 기업에서 초고속 승진을 거듭하고 있다. 민석과 달리 외향적인 사촌 형들은 팬클럽이 있을 정도의 썩 괜찮은 외모에, 운동까지 곧잘 했다.

가끔 민석은 중학생 때를 떠올리곤 한다. 민석이 다니던 학교는 시골 내 유일한 중학교로 고등학교와 같은 건물을 썼다. 선생님들도 대략 같았다. 지극히 평범한 외모와 조용한 성격인 민석은 성적이 상위권이긴 했지만 사촌 형들만큼 일등을 휩쓰는 정도는 아니었다. 그 때문에 입학 초기 친구들에게는 물론 선생님 사이에서도 관심 밖이었다.

"황민석, 너 사촌 형 있지?"

"네." 민석은 지금 선생님이 왜 이런 질문을 하는지 정확히 알아채고는 속삭이듯 대답했다.

"이름이 뭐지?"

"황민철, 황민식이요."

선생님들은 학창 시절 남녀 가릴 것 없이 모두에게 선망의 대상이었던 사촌 형들의 이름을 쓸데없이도 정확히 기억하고 있었다. 그리고 기대했던 대답을 듣고 나서부터는 곧 전과 달리 많은 관심을 민석에게 투척했다. 그만큼 민석에게 있어서 사촌 형들의 존재감은 컸다. 당연히 최소한 그 정도는 원했던 아버지에게 있어서도 민석이 공부를 잘해야 하는 것은 특별한 것이 아닌 당연한 일이었다.

중학교 2학년 1학기 중간고사. 민석이 처음 전교 1등을 한 날이다. 그 후 친구들과 대화도 별로 없고 학원도 다니지 않는 민석이 시험마다 일등을 하는 것에 대한 비아냥도 피어나기 시작했다.

'고액 과외를 받는다.'

'공부 좀 한다고 친구 무시한다.'

말을 하지 않았다뿐이지 민석은 학창시절 내내 네 시간 이상을 자본 기억이 없을 정도로 정말 열심히 공부했다. 과외는 커녕 학원이 어떻게 생겨 먹었는지 그 간판의 생김새 조차도 낯설 정도다.

그런 민석이 유일하게 공부 말고 관심을 가진 것은 컴퓨터다. 아버지가 사촌 형들이 쓰다만 컴퓨터를 받아와서는 아들 방에 둔 것이다. 마땅히 둘 곳이 없기도 했다. 컴퓨터와 친숙해지는 것도 나쁘지 않겠다는 생각과 내 아들은 게임 같은 건 하지 않는다는 믿음이 바탕에 있었다. 예상은 정확히 빗나갔다. 민석은 용돈을 모아 컴퓨터를 이리저리 업그레이드 하기 시작했고 얼마 지나지 않아 당시 유행하는 거의 모든 컴퓨터 게임들을 섭렵해 나갔다.

민석이 컴퓨터를 잘 다룬다는 것은 우연한 사건으로 학교에도 알려졌다. 당시만 해도 컴퓨터가 흔하지 않았던 터라 선생님들도 간혹 어려움을 겪곤 했는데 보다 못한 민석이 순식간에 문제를 해결한 것이다.

"오~"

친구들의 함성에 민석은 뒤늦게 아차 싶었지만, 기분이 썩 나쁘지는 않았다. 그 후부터는 선생님들이나 친구들 사이에서 컴퓨터에 문제가 있거나 궁금한 점이 있으면 항상 민석을 찾곤 했다. 민석도 다른 건 몰라도 컴퓨터와 관련된 것은 그리 귀찮지 않았다. 시간이 허락하는 한 해결해주곤 했다. 여전히 일관성 있는 태도와 말투로 답변을 하긴 했지만 질문마다 많은 노력을 담아냈다.

사람은 누구나 보이는 것만 믿게 마련이다. 그즈음 비아냥과 시기는 한층 더 격해졌다.

"쟤는 게임도 매일 하고, 열심히 공부도 안 하는데 항상 1등을 해."

"그러게 말이야. 따로 학원 같은 것도 안 다니잖아. 분명히 집에서 과외 같은 거 엄청나게 할 거야."

"우리 엄마가 과외 좀 소개 받으려고 물어봤었는데, 그런거 하나도 안 한다는데?"

"거짓말, 그걸 믿냐?"

한창 예민할 학창 시절 다른 친구들이라면 신경 썼을 말들이다. 민석은 이런 목소리에 감성 섞이지 않을 뿐더러 그런 시간도 아까웠다. 친구라는 것이 그렇게 필요하다고도 생각하지 않았다. 나중에 깨닫게 된 것이지만 그럴 수 있었던 것은 성우와 명주, 영훈, 예슬이라는 든든한 친구가 있었기 때문이기도 하다.

'친구는 나중에 사귀어도 된다.'라는 아버지의 말도 곱씹었다. 어떤 목적도 꿈도 없이 열심히 공부했던 단 하나의 이유였던 아버지의 말.

민석은 의심하지 않고 그대로 그렇게 믿었다.

학창 시절 내내 단 한마디 따뜻한 말을 건네는 법이 없던 민석의 아버지에겐 만족이란 없었다. 그럴수록 민석은 아버지에게 인정받고 싶었고, 당연히 언제나처럼 늘 그리지 못했다. 커갈수록 칭찬은커녕 주고받는 대화도 드물었다. 민석에게 아버지는 무섭고 어렵기만 한 존재가 돼 갔다. 반복된 바램과 쌓이는 거리감의 연속, 이런걸 보면 부모와 자식 간에도 기대하고 실망하는 것은 그리 건강하지 않은 일임이 틀림없다.

그 기대와 실망에서 오는 괴리와 중압감을 어루만지는 것은 언제나 엄마의 몫이었다.

6

오십 중반을 넘어선 진태는 여전히 풍채가 좋다. 깊게 팬 주름살과 희끗희끗한 머리카락이 자연스러운 멋을 풍긴다. 쓸데없다는 부끄러움과 낯섦으로 밀어냈던 로션, 선크림 따위만 발랐어도 훨씬 젊어 보였을 테다.

진태는 한 번 봤던 것들은 절대 잊어먹는 일이 없다. 계산기를 바로 옆에 두고도 굳이 암산이 더 빠르다며 꼭 암산으로 계산한다. 누군가에게는 당연한 일이 당사자에게는 엄청난 타협일 수 있다. 진태가 몇 해 전 암산을 포기하고 계산서 한 뭉치와 모나미 볼펜 한 다스를 사기 위해 문방구를 향한 것이 바로 그런 것일 테다. 손님이 줄지어 기다리는데 굳이 암산으로 하겠다고 덤벼들어 지체되는 계산에 항의가 잦아졌던 것이다. 그래도 아직 계산기는 절대 쓰지 않는다. 마지막 자존심, 뭐 그런 것이다.

국민학교 때부터 시험 성적을 곧잘 받아 왔기 때문에 집에서도 진태가 똑똑하다는 것은 알고 있었다. 그 사실을 애써 모른 체 했을 뿐이다. 위로 형 한 명 아래로 동생이 네 명이었던 진태는 고등학교가 최선이었다. 일찌감치 아버지를 따라나서 일을 배웠다. 공부할 시간이 없었지만 짬 내서 공부할 때마다 늘 좋은 성적을 받기도 했다.

졸업 후 몇 해 되지 않아 진태는 돈을 벌기 위해, 어쩌면 그곳에서 벗어나고 싶은 생각에 무작정 서울로 향했다. 이것저것 닥치는 대로 일을 하다 새벽

시장에서 물건을 나르는 일까지 맡았다. 그때를 후회하는 것은 아니다. 아마 다시 돌아가도 꼭 같은 선택을 했을 것이다. 그렇게 하는 것 말고는 별 도리가 없었다는 말이 맞겠다. 가끔 내 청춘은 어디서 보상받나 하며 푸념을 늘어놓기도 하지만, 동생들을 하나둘 대학에 보내는 것만으로 뿌듯했다.

성실한 진태를 지켜보던 시장 이불 가게 사장이 침구 사업을 시작하면서 영업일을 제안했다. 지방 출장 중에 지금의 정숙을 만났고 어느새 딸 둘, 아들 한 명의 아버지가 됐다.

결혼 후 회사는 점점 커갔지만 애 셋 키우기에 빠듯한 월급만큼은 올라갈 생각을 않고 제자리를 지켰다. 그러던 어느날 진태는 본인보다 몇 년이나 늦게 입사한 신입사원이 훨씬 많은 연봉을 받는다는 사실을 우연히 알게 됐다. 속이 메스꺼워 잠이 오질 않았다. 홧김에 급히 들이부은 술 때문은 아니었다. 분함과 서운함이 혼재돼 진태의 속을 계속 괴롭혔다. 혼자라면 어떻게든 버텼을 테다. 이렇게 열심히 일하는데 언젠가 알아주겠지 하면서 참아냈을 것이다. 하지만 지금은 그럴 수 없다.

진태는 지금 가장이다.

"저기 사장님, 드릴 말씀이 있습니다."

"어, 진태, 그래 이번에 지방 출장 다녀오느라 고생 많았어."

"네, 사장님, 저 올해 연봉을 좀 더 올려주시는 건 어려울까요?"

"또 그 얘긴가? 조금만 기다려봐. 회사가 이렇게 크고 있잖는가. 내가 크게 한몫 챙겨줄게. 그때까지만 우리 같이 다 참아내자. 야, 나보다 너희들이 훨씬 더 많이 가져가."

"네, 근데 저 정말 살기가 힘들어서 그렇습니다. 애들 셋인데 막내 분윳값도 벅차서 그래요."

"허 참, 다들 똑같은 상황인데 올해만 좀 넘어가자. 내년엔 진짜 많이 올려줄게. 내 약속한대도."

"그 얘기만 벌써 몇 년째예요. 사장님. 솔직히 저기 그 진석이란 친구 어쩌다가 연봉을 알게 됐는데, 어떻게 이게 갓 들어온 신입사원이 저보다 많은 돈을 받습니까? 제가 선임이에요. 일은 갑절이나 하고 있고요. 제가 저보다 훨씬 많이 받는 놈에게 뭘 가르치란 말입니까. 사장님, 이건 진짜 말이 안 되지 않습니까." 진태는 점점 더 울분에 받쳐 목소리를 높였다.

"진석이 연봉을 자네가 어떻게 아나?"

"사장님, 지금 그게 중요한 게 아니잖습니까. 제가 언제 일을 소홀히 한 적이 있습니까. 매년 성과도 내고 정말 열심히 일하고 있는 거 아시지 않습니까. 알아달라는 게 아니라 그래도 인정은 좀 해주셔야지요. 살아가게 만이라도요. 회사가 사정이 안 좋은 것도 아니고 이렇게 크고 있는데, 몇 년을 일한 저보다 새로 들어온 신입사원을 더 인정해준다는 게 정말 납득이 가지 않아서 참다 참다 드리는 말입니다."

"진태, 자네가 잘 몰라서 그래. 아니, 대학 졸업장이라는 게 저 친구는 몇 년을 학교에서 배우고 들어왔지 않는가."

"예, 또 그 소리 할 줄 알았습니다, 대학 졸업장."

"아니, 말조심해야 할 것 같은데."

"사장님, 전 누가 생각해도 상식적인 당연한 얘기를 하고 있는 것이라고 생각합니다."

"그만하게. 받아주는 것도 정도껏이야. 알아듣게 계속 얘기를 하고 있는데 계속 이러면 나도 할 말이 없네."

"사장님."

"허 참, 그렇게 불만이 많으면 그만둬. 자네 말고 일하고 싶은 사람은 널렸어."

'아, 어떻게….'

"저 그만두겠습니다."

진태는 예상치 못했던 사장의 말에 이성을 잃었다.

"그래, 알았어. 그럼 이제 우리 할 말 없는 거네. 나가보게."

몇 년을 고생하고 함께 한 회사인데 그냥 그만두라니, 그래도 내심 한 번은 잡을 줄 알았다. 진태는 이렇게 끝나는 것이 억울해서 미칠 것만 같았지만, 그날 그대로 회사를 나왔다.

나중에 알게 된 것이지만 매번 바른 소리만 하는 진태가 탐탁지 않았던 사장은 내심 진태가 나가기를 바라고 있었다. 누가 해도 다 똑같은 일을 더 싸게 부려먹을 사람 뽑으면 된다는 생각이었을 것이다.

'그놈의 대학 졸업장.'

당장 먹고 살길이 막막하다. 서울로 올라올 때만 해도 남부럽지 않게 성공할 것이라고 다짐했던 진태다. 당시 시골에서는 구경하기 힘들었던 새까만 고급 자동차를 끌고 금의환향하겠다고 호언장담했지만, 고개 숙인 식구들과 함께 조용히 내려오게 됐다.

진태는 Y에서도 가격이 싼 언덕배기 단칸방에 세를 들었고, 중고 트럭 한 대를 장만했다. 트럭에 과일을 싣고 전국 방방곡곡 시골 장날만을 찾아다니며 장사를 시작했다. 가끔 아직 학교에 다니지 않는 막내 민석을 태우고 다닐 때면 만감이 교차했다.

'내가 공부를 계속 할 수 있는 여건만 됐었더라면.'

진태는 늘하던 아쉬움을 다시금 삼켜냈다. 그리고 다짐했다.

'내 자식만은 정말 남부럽지 않게 키울 것이다. 꼭 좋은 대학교에 보내 이 수모와 고생을 당하게 하지 않겠다.'

"민석아, 난 민석이가 정말 열심히 공부했으면 좋겠다. 민석이는 아빠를 닮아 머리가 좋아서 맘만 먹으면 1등도 금방 해낼 거야. 아빠랑 약속할 수 있지?"

하루에도 몇 번이고 하는 말. 그건 진태가 못다 한 꿈을 아들이 꼭 이뤄내 줬으면 하는 것이었고, 또 절대 자신처럼은 살지 않았으면 하는 간절한 바람이었다.

진태는 365일 휴일도 없이 매일 새벽이면 트럭을 몰고 나갔다. 전조등만으로 간신히 앞을 비출 정도의 어둠이 찾아오면 집에 들어섰다. 이 악착스러움은 마침내 시장 한구석 한 평 남짓한 월세 자리를 만들어 냈다. 장사가 꽤나 잘 돼 아내 정숙까지 나서 가끔 도와야 했고, 곧 함께 일을 하게 됐다. 누구보다 이른 시간에 문을 열었고 거리에 나다니는 사람이 하나 없는 자정이 다 돼서야 문을 닫았다.

7

정숙은 오늘도 민석 생각으로 가슴이 먹먹하다. 아들 민석 얼굴을 못 본 지도 벌써 몇 년째다. 그나마 명절을 핑계로 일 년에 한두 번 마지못해 찾아온 민석과 진태의 만남은 아슬아슬히 잘 지나간다 싶다가도 결국엔 사달이 났기 때문이다.

　진태 자신도 이번에는 정말 민석에게 아무 말 안 해야지 좋은 말만 해야지 하고 몇 번이고 다짐한다. 문제는 서로 대화 자체가 되지 않는다는데 있다. 민석을 학교에 보내고부터는 딱히 대화를 해본 적 없는 진태다. 다 커버린 아들과 어떻게 대화를 시작해야 하는지 어떤 얘기를 나눠야 하는지를 모르겠다. 그냥 말 건네기가 어색해 괜히 밖에서 한 두잔 걸친 술이 한 병 두 병이 돼 취한 채로 민석을 마주하게 된다. 묻는 말에 대답도 없고 어렸을 적과 달리 모든 것에 다른 대답을 하는 민석이 이내 못 미더워 언성이 높아진다. 아버지 말이라고 하면 무조건 따랐던 말 잘 듣는 아들은 온데간데없고 제 고집만 부리는 민석이 야속하기만 하다. 민석은 이제는 자기 마음대로 살겠다며 울분을 터뜨린다. 아버지는 아들의 반항에 더욱 화가 나 소리친다.

　"그럼 내 인생은 뭔데?"

　"아버지의 인생을 왜 저한테 자꾸 그러세요."

　물론 민석도 이렇게까지 얘기할 생각은 아니었지만 이쯤되면 이성보다 감정이 앞선다.

　"야! 이놈 말하는 버르장머리 봐라. 야! 이놈아! 네가 혼자 컸냐? 어? 혼자 컸어?"

　"아버지, 저 한 번이라도 인정해주신 적 있으세요? 한 번이라도 인정해주시고 그런 말씀을 하시냐고요?"

　"오냐, 인마! 이제 너 내 아들 아니다! 나가!"

　"네, 이래서 제가 안 온다고 했잖아요! 왜 굳이 오라고 해서 이런 상황을 만드시냐고요!"

　"오지 마! 오지 마! 나가! 꼴도 보기 싫으니까."

워낙 순식간에 벌어진 일이라 엄마 정숙이 뭐라고 끼어들 틈도 없었다. 처음 보는 민석의 모습에 당황한 것도 있었다. 민석은 이제 나갔으니 아마 또 한동안 발길을 끊을 것이다. 문을 열고 나가버린 민석과 방문을 걸어 잠그고 들어가 버린 진태의 뒷자리를 멍하니 바라본다.

정숙이 아는 진태는 자신보다 가족을, 아들을 생각하는 사람이다. 고향에 내려오고서부터는 아무리 아파도 병원 한 번 간 적 없다. 병원비도 병원비지만 시간이 아까웠다. 새벽부터 밤늦게까지 기계처럼 일했다는 것 말고는 달리 표현할 말이 없다. 하나의 이유, 가족을 위해서였다. 내 자식들 만큼은 한으로 쌓인 그 모든 것을 절대 겪게 하고 싶지 않았다.

이제 어느새 커버린 아이들과 대화가 어려워진다. 지금까지 자랑스럽다는 얘기는커녕 잘했다는 따뜻한 말 한마디 건네본 적이 없다. 본인도 그렇게 자라왔고, 무엇보다 어떻게 표현해야 할지 모르겠다. 대화 한 번 친숙하게 하려고 술을 마시고 들어가서는 괜히 화를 내는 것이 유일한 소통이다.

진태로서는 애들이 어릴 때라야 굳이 말을 하지 않아도 자신을 따랐고, 가만히 장난치는 것을 바라보는 것만으로 좋았다. 차츰 나이가 들수록 대화가 어려워진다는 생각이 들기도 했지만, 그런 생각 자체가 사치라고 생각했다. 커갈수록 해줘야 하는 것이 많다.

진태는 자신과 관련된 일은 집요하지만, 그것을 조금만 벗어나면 그냥 젬병이다. 그리고 보면 제대로 된 데이트 한 번 한 적 없던 진태가 정숙과 결혼했다는 것은 아직도 의문이다. 아니, 누군가와 결혼을 할 수 있었다는 것으로 고쳐 말해야겠다.

정숙을 처음 본 날, 진태는 어디서 그런 용기가 났는지 지금 떠올려도 그날의 자신이 놀랍고 새롭다. 이제 막 A 지역 끝자락에 있는 취급점에 상품을 넣어주고 차에 타려는 찰나 정숙이 진태를 스쳐 갔다. 남자들 사이에서라야 화통함이 넘치고 인기도 많지만, 평소라면 가족 외 여자에게는 인사는커녕 눈 한 번 제대로 못 마주친 진태다.

"저기요, 안녕하세요. 황진태입니다."긴장한 나머지 주위 사람들이 다 돌아볼 만큼 큰 목소리로 인사를 건넸다.

"네?"

"안녕하세요, 저는 황진태입니다."

"네, 안녕하세요. 저는 박정숙이에요."

"아, 저 그러니까 다름이 아니라 혹시 식사하셨나요?"

"네? 아니요."

"아, 그럼 저하고 저녁 드시지 않겠습니까?"

정숙은 주변 시선이 창피스럽기도 했지만 땀을 뻘뻘 흘리며 얘기를 건네오는 진태가 왠지 모르게 마음이 쓰였고, 한편으론 귀여웠다.

그날 이후 진태는 출장 기간 내내 정숙을 만났다. 일이 언제 끝나든, 회식이든 정숙을 잠깐이라도 보기 위해 찾아갔다. 그렇게 한 달 만에 결혼을 얘기했다. 진태가 서울 본사로 다시 올라가야 했기 때문이다. 지금이야 장거리 연애가 아무렇지 않지만 핸드폰도 인터넷도 없던 시절이다. 서울에서 오고 가는 시간만 하루가 넘게 걸리던 때라 장거리 연애는 불가능에 가까웠다. 진태는 여자라고는 지금까지도 그리고 앞으로도 박정숙 한 명일 것이다며 결혼을 얘기했고 정숙도 받아들였다.

결혼은 생각보다 쉽지 않았다. 진태는 한없이 어리게만 보인 정숙이 동생일 것이라고 지레짐작했고 정숙 역시 누가 봐도 나이를 잔뜩 머금은 진태를 오빠로 불러왔는데, 알고 보니 정숙이 세살이나 많았던 것이다. 그 당시 정서로 생각하면 Y와 A는 지역감정만으로 이미 벽이 두터운데 세살이나 연상이라니 성사될 수 없는 결혼이었다.

'이제 나도 내 결정으로 행복할 자격이 있다.'

축복만이라도 해주기를 바랐지만, 그것조차 과한 기대였나 보다. 진태는 지금까지 가족을 위해 희생한 것을 생색낼 생각은 없었지만, 이번 만큼은 너무 야속했다. 일말의 타협과 가능성이 계속해서 외면되자 잘 살겠노라고 결혼식 없이 정숙과 살림을 차렸다. 확실히 드라마에나 나올법한 엄청난 사건이었다.

비록 좋지 않은 모습으로 Y를 다시 찾았을 때는 이미 세 아이의 아빠가 돼 있었기 때문에 가족들도 진태와 정숙을 받아들였다. 물론 시선은 곱지 않았다. 그 곱지 않은 시선에 둘러 쌓인 연고도 없는 Y에서 정숙은 오로지 가족만 생각하고 버텼다.

애들이 한창 클 때는 가장 빨리 가게 문을 열어야 했고, 가장 늦게 문을 닫아야 했다. 이제 자식들이 독립하고 나서부터는 잊고 있었던 옛 친구들과 술자리도 갖곤 한다.

"황 사장이 웬일이야. 저녁에 술을 마시러 나오고."

"허허, 쓸데없는 얘기하지 말고 술이나 따라봐."

"성격 급한 건 여전하네. 아니 돈 그 정도 벌었으면 됐지, 이제 좀 쉬엄쉬엄

해.”

진태는 소주잔을 옆으로 밀어내고 물컵에다 소주를 가득 채우고는 한 모금에 털어 넣었다.

“야! 그나저나 너 태성이 알지?”

“이태성?”

“어, 왜 있잖아. Y 병원 아들.”

“어, 알지. 근데 왜?”

“걔 최근에 Y 초등학교 앞에 문방구 하고 있더라.”

“아니, 돈도 많고 대학도 그리 좋은데 나온 놈이 거기서 왜 그걸 하고 있데? 걔네 집 망했어?”

“망하기는 무슨, 아마 민수진 때문일걸.”

8

생각해보면 회계사라는 것도 민석이 큰 꿈을 가지고, 혹은 반드시 돼야 한다는 생각으로 출발한 것은 아니다. 진태는 민석이 의사가 되기를 원했다. 서울대면 좋겠지만 학교는 크게 상관없었다. 의대면 됐다. 학교에서도 집에서도 충분히 갈 수 있다고 생각했다. 막상 수능에서 상상치도 못한 점수를 받기 전까지는.

민석의 수능 점수로는 대한민국 어느 대학교도 의대는 힘들었다. 민석은 상상도 못 한 길목 한 귀퉁이에서 완벽히 방향을 잃었다. 재수라는 선택지도 있었지만, 당시 민석의 상태로는 다시 준비할 자신이 없었다. 그 끔찍했던 일 년을 반복한다는 생각만으로도 몸이 떨렸다. 민석은 처음으로 아버지를 향해 반기를 들었다.

"민석이 아버지, 애가 정말 도저히 못 하겠다잖아요. 이제 그만 허락해 주셔요."

"……."

진태는 눈을 감고 아무 말 없이 몇 분을 가만히 있다가는 아주 힘겹게 고개를 끄덕였다. 민석과 정숙의 기나긴 설득 끝에 진태는 마지못해 승낙했다. 정확히 말하면 아무 말도 하지 않은 것이지만.

어찌 됐든 의대를 못 간다 뿐이지 어느 정도 성적은 나왔기에 수도권 학교 경영학과로 입학했다. 사실 컴퓨터 관련 학과로 지원해보고 싶은 마음이 있었지만, 진태가 경영학과로 못박았다. 이것만큼은 단 1%의 여지가 없었다.

"황민석, 그래 알겠다. 분명히 말해두겠는데 너 나중에 그때 왜 나를 더 말리지 않았냐. 재수하라고 더 억박지르지 않았냐고 하는 이 따위 원망, 절대로 하지 말거라."

"네."

"아들, 잘못된 선택은 없어. 결과만 있을 뿐이야. 우리 아들은 최선을 다했어. 엄마는 우리 아들의 결정을 존중해. 이번 선택이 잘못된 선택이 아니었다는 걸 아들이 훗날 멋지게 증명해 주길 바래. 엄만 언제나처럼 우리 아들을 믿어. 사랑한다, 아들."

민석은 이럴줄 알았으면 그때 재수를 할 걸 그랬나 하는 생각도 가끔 해보지만, 그럴 때마다 아버지와의 대화를 떠올리고 고개를 가로젓는다.

스스로 무엇이 되어야 하겠다는 생각을 한 번도 해보지 않았던 민석은 군 제대 후 적지 않은 혼란을 겪었다. 자격증과 여러 시험을 준비하는 주변 친구들 모습에 괜스레 조급했다.

결국 선택한 것이 가장 자신 있고 익숙한 '열심히 공부하는 것'이었다. 민석은 군 제대 후 우연히 학교 선배와의 술자리에서 회계사라는 시험을 알게 됐다. 알아보니 사회적 지위도 높고 수입도 웬만한 대기업 이상이며 안정적이기까지 하다. 바늘구멍에 비견되는 취업보다는 이편이 확실히 수월할 것 같았다. 사회성이 철저히 결여된 자신에게 있어서는 더욱더 그렇다고 느꼈다.

민석은 십 년 전, 그저 회계사라는 것이 어떤 건지나 알아보자는 마음으로 삼 개월 남짓 준비한 1차 시험에 붙었다. 2차 시험에서는 말 그대로 몇 문제 차이로 아깝게 떨어졌다. 1년이 2년이 됐고, 다시 3년, 5년 번번이 아깝게 떨어지는 상황이 반복됐다. 그러는 사이 친구들은 하나 둘 졸업해 자리를 잡아갔다. 크든 작든 결국엔 성공한 취업 축하 자리도 이어졌다. 민석은 여전히 시험에 붙기만 하면 어떤 대기업보다 우위에 설 수 있으며, 금세 따라잡을 수 있다고 스스로를 위안했다. 그리고 그렇게 믿었다.

원래 혼자가 편했던 민석이다. 연락이 오면 만나고 굳이 먼저 약속을 잡고 그러지 않았다. 누군가와 어울리는 것이 맞지 않고 불편했다는 사실을 잠시 잊고 있었던 자신의 모습을 다시 찾은 것뿐이다. 답답한 마음에 6개월 정도 취업 준비도 해봤지만 그나마 서류전형에서 붙는 것도 없었다.

'역시 시험만이 길이다!'

다시 문제집을 들었다. 서른 살이 되고서부터는 학원비는커녕 생활비도 염

치없었다. 같이 공부하는 동생의 소개로 시험을 마치고 3개월 정도 공사장에서 일했다.

살면서 돈을 버는 일 따위의 어떤 경험도 없던 민석이다. 처음 며칠은 다음 날 일어나는 것조차도 힘에 부쳤다. 언제부턴가 아무 생각 하지 않고 새벽에 일어나 저녁 늦게까지 일만하고 자리에 눕기만 하면 곯아떨어졌다. 이렇게 머리를 눕히자마자 잠이 든 것은 초등학교 이후 처음인 것 같다. 단 하루만이라도 푹 자는 것이 간절했던 시험 준비 때를 떠올리면 이것도 참 묘한 일이다.

민석이 일하는 공장은 대기업 하청에 하청을 맡은 나름 큰 규모로 시급도 높았다. 꽤 많은 사람이 숙식 형태로 함께 일했으며 나이도 천차만별이었다. 가끔 같이 밥을 먹게 되면 고등학교를 졸업하고 온 친구부터 나이 지긋하신 분들까지 다양했다. 처음 며칠하고 그만두는 사람도 많았고, 아예 일찍부터 시작해 지금까지 이 일만 하고 사는 분들도 있었다. 시급 1.5배를 주는 휴일, 야간 근무까지 자청하고 나서면 대기업이 얼마 받는지는 모르겠으나 남부럽지 않을 만큼의 돈을 손에 쥐기도 한다. 민석은 다음 해에 또 떨어지고 나서는 '정말 나도 이 길로 나설까?'는 생각을 해보기도 했다. 간간이 안부를 묻는 어머니가 매달 용돈을 보내주시는데, 거기에 겨울 내도록 여기 공장에서 일한 돈을 더하면 일 년간의 학원비와 생활비가 대충 가능하다.

그런데 올해 서른다섯 살이다. 더 이상 도움을 받는 것이 너무 죄송스럽고 창피하다. 굳이 채점하지 않아도 충분히 망쳤음을 알 수 있다. 꾹 눌러 놓았던 그 죄스러움이 물밀 듯이 차올라 미친 듯이 괴롭다.

'정말 이제 그만해야겠다. 안되는 건 안 되는 것이다.'

이걸 깨닫기까지 너무 오래 걸렸다. 안된다는 것을 스스로 인정하는 것도 용기다.

9

민석이 꼭 쥐고 있던 시험이라는 끈을 인제 그만 놓아버리겠다는 발언은 신호탄이 됐다. 성우와 영훈 역시 작정한 듯 꾹꾹 눌러놓은 쉽지 않은 대화를 꺼내놓기 시작했다.

"야! 그래, 잘 생각했어. 뭐 세상 먹고살게 없겠냐. 그리고 황민석이 누구냐. 우리 Y의 자랑 아니냐. 그 좋은 머리로 지금부터 하고 싶은 거 찾아서 해도 잘 빌어먹고 살 거야!"

횟집에서부터 쫓겨나다시피 옮겨온 호프집에서 성우가 굳이 또 시험 얘기를 끄집어냈다. 이런 분위기에 어설픈 위로를 꼭 해야 직성이 풀리는 사람이 있는데 이날 성우가 그 역할을 자처했다. 원래대로라면 최소 삼세번은 거듭해야 맞지만 다행히 한 번으로 끝냈다. 대신 초점 잃은 두 눈을 억지로 치켜떴다. 사뭇 진지하게 자세를 고치고 목소리도 가다듬었다. 마치 지금부터 하는 얘기가 결코 술기운이 아니라는 걸 알아줬으면 한다는 듯 단어 하나하나를 신중히 누르며 대화를 이어나갔다.

"야! 말이 나와서 얘긴데, 욕하지 말고 진지하게 들어줘라. 나 배우 한 번 도전해 보려고."

잊고 있었다. 성우는 학창 시절부터 배우가 꿈이었다.

"나 좀 진지하게 얘기하는 거야. 내가 장사하랴. 애 키우랴 지금 피부가 맛탱이가 가서 그렇지. 조금만 다듬고 하면 저 TV에 나오는 애들보다는 훨씬 낫다고 생각한다. 동의하지? 박성우 아직 인물은 살아 있다?!" 성우가 오른속 주목을 꽉 쥐어 보이더니 양쪽 가슴을 세게 두드리며 소리를 높였다.

"성우야, 나는 정말이지 너한테 아주 고마워. 이런 상황에서도 웃음을 줄수 있는 사람이 내 친구라니 말이야. 야 다들 고맙다고해 빨리."

"이번엔 진짜라고, 가게도 내났어." 비꼬듯이 웃어대는 명주와 친구들의 반응에 열이 오른 성우가 이번에는 한층 더 목소리를 높여 말했다.

또 한 번의 정적.

"그래그래, 내가 딸린 식구가 있는데 당장 장사 그만두면 어떻게 먹고살겠냐. 집주인이 월세를 또 올렸어요. 최근에 이쪽 동네 부동산 엄청나게 뛰었잖아. 자기도 안 올리면 손해 보는 느낌이라나 뭐라나.

그래서 됐다 하고 나간다 그랬지. 다른데 알아봐야지 뭐."

"박성우, 가게 내났다 그랬을 때 나 정말 진지하게 너 한 대 때릴 뻔했다." 다행이라는 듯 나선 명주다.

"배우 얘기는 정말이야. 난 정말이지 나중에 내 자식들에게 아빠가 자기 꿈에 도전조차 하지 않았던 사람으로 남게 되는 것이 끔찍하게 싫다."

"야, 그 꿈이 언제 적 꿈인데 자식을 들먹여. 솔직히 그때 네가 그걸 정말 하고 싶어 했는지도 모르는 거잖아."

"꿈이 언제 적이 어딨고 시기가 어디 있어? 그리고 내가 항상 장난식으로 얘기해서 그렇지, 늘 생각하고 있었어."

"어떻게 하고 싶은 것을 다 하고 살아. 다들 그렇게 살아. 어렸을 적이야 너나 나나 스스로가 특별한 사람이라고 믿고, 또 그렇게 될 거로 생각하지. 아니야, 그거 아니야. 이제 살아내야자나. 그건 그냥 꿈으로 묻어두자."

"지켜야 할 가족 있고, 부족하면 꿈꿀 자격도 없고 행복할 권리도 없다는 말인가. 이거 뭐 처절하게 비참하네."

"그렇게 극단적으로 얘기하지 말고, 네 꿈과 행복이 가족이라고 생각하면 되잖아. 난 결혼하면 그렇게 하겠구먼."

"그래, 너 결혼하고 나서 어떻게 말하나 보자."

"그렇게 얘기할 줄 알았다. 사람이 진지하게 얘기를 하면 좀 귀담아들을 줄을 알아야지."

"그건 내가 지금 진심으로 명주 너에게 하고 싶은 얘기다. 난 지금 진심으로 내 꿈에 관해서 얘기하는 거야. 그래 정말 배우가 되겠다는 건 아니야. 나도 내 주제를 알지. 뮤지컬 동호회 같은 게 있나 봐."

"동호회, 이야! 박성우가 그런 것도 알아? 그건 좀 말이 되네."

"응, 그래서 말인데 우리 같이 하자."

"그건 또 무슨 뚱딴지 같은 소리야, 같이 하자니!"

몇 년에 한 번 등장하는 성우의 진지한 태도에 나름 가만히 생각하면서 듣고 있었던 명주와 영훈이 '그럼 그렇지' 라는 표정을 지어 보였다.

"일주일에 하루 정도 모이고 짧게 몇 개월 연습하고 무대에 오르는 그런 게 있대. 취미 삼아서 하면 되잖아. 친구 평생의 꿈인데 그렇게 매몰차게 들은 체도 안 하면 진짜 섭섭하다."

"그건 네 꿈이지, 우리 꿈이 아니잖아."

"최명주, 넌 좀 가만히 있어 봐. 민석아 어때? 나랑 이거하면서 잠시 인생을 짚어보는 시간을 가지자. 어때?" 어느새 민석 옆에 찰싹 붙어선 성우가 꼭 함께해야 한다며 늘어지기 시작했다.

"사장님, 내가 지난주에 출장을 다녀왔는데, 저기 충청도 쪽에 새롭게 뜨고 있는 곳이 있더라고. 차라리 거기 가서 자리를 잡아 보는 건 어때?" 명주가 둘을 떼어놓는 시늉을 하며 말을 끊고 나섰다.

"하긴, 거긴 잘만 잡으면 월세도 전세도 많이 덜 하겠구나." 성우가 순간 솔깃해서 명주의 말을 받아쳤다.

"정말이야. 거기 최근에 상수, 연남동 쪽 사장님들이 새롭게 자리 잡은 곳인데, 이제 상권이 형성되는 단계라 하더라고."

"이야, 구미가 당기는데."

"그리고 혹시라도 가게 되면 시장 골목 끝에 할머니 떡볶이집이라고 있거든. 3대째 하는 곳인데 꼭 가봐라. 후회 안 한다."

"최명주, 거긴 또 누구냐?"

가만히 듣고 있던 영훈이 옅은 웃음을 짓고 물었다.

"응? 누구라니. 갑자기 무슨 말이야?"

"무슨 말이긴. 내가 알기론 네가 거기 전혀 연고도 없는데 그 골목에 맛집까지 안다는 건 바로 견적이 나오잖아. 뭐 당연한 거 아니야? 내 기억으로는 그쪽 동네 살던 애가 없었는데 누구지." 성우가 거들었다.

명주는 이들 중 연애 경험이 가장 많다. 가끔 전혀 연고도 없는 동네의 가로등 위치까지 꿰고 있을 때가 있는데, 여지없이 그럴 때면 과거 사귀던 여자친구와 관련된 곳이다.

"소설을 써라 소설을. 박성우, 뮤지컬 하지 말고 그냥 소설을 써, 왜 재능을 썩히고 그래, 무슨 말만 하면 시나리오를 풀어."

"됐다 됐어, 그만하고. 아까도 얘기했다시피 가게 자리 찾아보다가 이 형이 우연히 뮤지컬 동호회라는 것을 알게 돼서 그래. 어때 진짜 같이 해볼 생각

없어? 예전 생각도 나고, 추억도 만들 겸 좋잖아. 요즘 인생 진짜 너무 재미없지 않냐? 같은 생각이잖아. 이대로는 도저히 안 되겠어. 이게 사는 건가 싶다 진짜. 하루하루 정말 바쁘긴 엄청 바쁜데 돌아보면 아무것도 없어. 내가 누구인지, 내가 뭘 했는지 생각한다는 자체가 사치야."

"그건 나도 그래. 그냥 아무 생각 없이 일어나서 씻고 출근하고, 출근하고 퇴근하고. 또 반복이야."

"그래서 또 뭘 얘기하고 싶은 건데 최명주. 다 그렇게 산다고? 너는 정말 속 편한 소리 좀 그만해. 너는 대기업에 다닌다는 애가 그렇게 공감 능력이 떨어져서 사회생활을 어떻게 하냐? 월급 따박따박 받아서 생활하는 게 제일 좋은 거야. 다 차치하고 넌 실내에서 일하잖아. 요즘 같아서는 진짜 장사도 안 되는데 문을 닫을 수도 없고 죽을 지경이다. 밤만 되면 몸은 피곤해 서 있을 수조차 없는데 걱정 때문에 잠이 안 와. 잠이 안 온다고."

"누구 앞에서 불행 배틀이야. 그 끝도 없는 얘기 그만하고 박성우, 하던 말이나 계속해봐." 모른 체 듣고 있던 민석이 듣기 싫다는 듯 나섰다.

"최명주, 기억 안나? 그저 남들처럼 살지 않겠다고. 그런 재미없는 인생 살지 말자고. 그렇게나 외쳐 댔던 거 생각 안 나고. '남들 다 그렇게 한다고 그렇게 살아낸다고 그렇다고 그게 정답이 아니다.' 최명주, 바로 네가 한 얘기야." 힘들어 죽을 것 같은 자기를 좀 알아봐달라는 성우의 간절함이 사뭇 진지하게 울렸다.

"그만해. 왜 힘든 것을 경쟁하고 있어. 상대적인 것이 아니잖아. 당사자 말고는 누구도 정확히 알 수 없어. 그 때문에 누구도 대신 재단하고 말할 권리도 없는 것이고." 다시 한번 민석이 듣기 싫다는 듯 말을 던졌다.

10

오전 6시 30분.

성우는 습관적으로 몸을 억지로 일으켜 세운다. 돌덩어리 같은 피로가 며칠 쌓여도 새벽녘이면 오뚝이처럼 말짱했던 것이 언제인가 싶다. 반쯤 감긴 눈으로 냉장고 문을 연다. 1ℓ 생수를 집어 든다. 얼마 남은 것인지 확인할 겨를도 없이 정신을 차릴 때까지 전부 비워낸다. 단맛이 났다. 또 최소 치사량 넘치게 마신 것이 분명하다.

'아, 어제 또 대체 얼마나 마신 거야.'

술만 마시면 기억이 송두리째 사라지는 날이 잦아졌다. 희미하게 이어지는 정도가 아니라 누군가 머릿속 차단기를 단번에 내려버린 기분이다. 한창때는 아무리 마셔도 성우에게만은 일어나지 않는, 않을 일이었다. 문제는 기억이 끊긴 상태에도 혀만 좀 더 느려진다뿐이지 평상시와 똑같이 행동한다는 것이다. 다행히 무슨 일이 있어도 꼬박꼬박 집은 찾아온다. 아내 미진이 현재 성우의 늙어버린 회복력 상황을 알아채는 일만큼은 없어야 하기 때문이다. 성우는 2년 전 하루에 한 갑 이상은 늘 태워댔던 담배에 마지막으로 불을 붙였다. 건강 걱정에 더해 담배 구린내를 끔찍해 하는 미진의 최후통첩에 손을 든 것이다. 두 배나 오른 담배 가격도 물론 적잖은 영향을 끼쳤다.

'미진이가 이제 술까지 못 마시게 한다면?'

상상도 하기 싫다.

반쯤 남아있던 1리터 생수의 마지막 한 방울까지 다 털어 넣었다. 찢어질 듯한 갈증이 그나마 조금 사라지는 기분이다. 이어진 갈증을 달래기 위한 물이 더는 없는 것을 확인한 아쉬운 손으로 빈 생수통을 찌그러뜨렸다. 납작해진 생수통은 급한 대로 싱크대에 던져둔다. 싱크대는 어제 먹은 것으로 추정되는 콩나물국의 흔적이 가득하다.

술을 마시고 꼭 밥을 먹어야 하는 것은 성우가 지독히도 싫어했던 아버지의 모습이기도 하다. 아버지는 술을 마시고 들어온 날에는 꼭 밥을 찾았다. 성우는 언제나 술 마신 아버지를 피해 방에 들어가 이불을 덮어썼다. 그리고 다짐하고 다짐했다.

'나는 절대 저러지 말아야지.'

성우는 지독히도 미워하고 이해할 수 없었던 아버지의 행동들을 언젠가부터 저도 모르게 따라 하고 있다. 조금 많이 마신 날이라고 하면 집에 와서 먹을 것을 꼭 찾고 있다.

'흐흐.' 순간 어린 시절 이불 속 그 다짐이 떠올랐고, 웃음인지 한숨인지 모를 소리가 성우의 고래를 가로질었다.

복잡하게 길고 깊은 한숨 소리를 뱉어낸 후, 가스레인지 위 어지러이 놓인 냄비를 향해 고개를 돌렸다.

얼마 남지 않은 식어버린 콩나물국이 몇 숟가락 남아 있다. 조금전 들이켠 차가운 생수와 비슷한 온도를 유지하고 있는 그 국에 밥을 대충 두 주걱 담아냈다. 그대로 냄비째 들고 앉아 꾸역꾸역 밀어 넣었다. 순간 오른쪽 관자놀이가 찌릿찌릿하다.

6시 55분. 억지로 눈을 일으킨 지 삼십 분도 채 되지 않은 시간이다. 양치하고 모자를 눌러쓰고는 옅은 불빛이 새어 나오는 방문을 살짝 열었다. 곤히 잠들어 있는 지우를 확인하고 오늘 팔 물건을 사기 위해 공판장으로 서둘러 차를 몰았다. 벌써 이주 째 계속되는 폭염으로 과일값이 천정부지다. 그나마 생선은 냉장 보관이 가능하지만, 과일은 생물이기 때문에 제때 팔지 못하면 그대로 쓰레기봉투에 담아야 한다. 원래 생선가게를 하다 과일을 조금씩 가져다 판다는 게 과일 장사가 주가 된 격이다. 장사가 워낙 안돼 가져다가 팔 수 있는 것은 모조리 팔고 있다는 게 좀 더 정확한 설명이다.

몇 달 전부터 물건값과 월세를 내고 나면 간신히 대출을 갚을 정도다. 그나마 미진이 최근 어린이집을 나가서 숨통이 트였다. 마이너스통장으로 근근이 버티고 있지만 이렇게 가다가는 정말 큰 일이다. 지우는 처형 집에서 장모님이 맡아주고 있다. 결혼 전부터 다른 건 다 해도 애들 키우는 건 절대 못 해준다고 몇 번이고 말씀하신 장모님이지만 못난 사위 덕분에 자신과의 약속을 지키지 못했다.

'어제 그렇게 마시는 것이 아니었는데….'

어제도 가게 앞 도로 경계선까지 내어놓은 과일 상자에 걸터앉아 멍하니 허공을 응시하고 있었다. 말 그대로 파리만 날리다가 그나마 퇴근 시간이면 지하철과 버스 시간에 맞춘 발걸음들이 무리 지어 소리 내며 밀려 내려온다.

"어서오세요. 오늘 물건 괜찮아요. 한 번 맛 보고 들어가세요."

기계처럼 뱉어보지만 '얼마예요?'하는 흔하디흔한 메아리 한 번 울리는 일이 드물다. 근처 대형마트가 생기고 나서부터 그나마 있던 단골손님도 여기 진선시장을 지름길 정도로만 생각하는 것 같다. 더 있어봤자 삼겹살과 알코올 향으로 꾸깃꾸깃해진 양복을 가득 메운, 도대체가 나이가 몇 살인데 제대로 걷는 법을 배우지 못한 친구들만 간간이 지나갈 것이 뻔하다. 술김에 귤한 봉지를 사가는 경우가 있긴 하지만 실랑이 할 것을 생각하면 팔지 않는 게 오히려 남는 것이겠다. 물론 평소라면 그것이라도 아쉬워 기다리겠지만, 어제는 도저히 그럴 기분이 아니라 일찍 문을 닫았다. 문을 내리고 좀 더 저렴하면서도 입지가 좋은 기적과도 같은 물건을 알아보기 인터넷 창을 열었다.

3주 전 건물 주인이 다녀가고서부터 그나마 비루하게 버티고 있던 희망조차 산산이 조각났다. 이번만큼은 월세를 올려야겠다는 통보를 하기 위해 기필코 다시 한번 찾아와 협상의 여지는 절대 없다는 말을 덧붙였다. 참으로 친절하시기도 하다.

썩어 팔지 못하는 과일 몇 개를 깎아 놓고는 안주 삼아 소주 한 병을 비우고 있었다. 마지막 잔을 가득 채우고 하루 중 가장 큰 고민으로 잠시 생각에 잠겼다.

'딱 반병만 더 마실까.'

나름 마시는 쪽과 마시지 않는 양쪽이 심각한 갈등을 빚어내고 있는 찰나 재환이 반가운 표정으로 가게에 들어섰다.

재환은 3년 전 시장을 빠져나가자마자 보이는 아파트 504호로 이사 왔다. 성우는 같은 동 503호다. 활동 시간이 겹칠 일이 없기 때문에 매주 월요일을 제외하고는 평소 재환과 마주치는 일은 거의 없었다.

매주 월요일, 일주일에 하루 있는 분리수거 날이다. 왼쪽 새끼손가락에는 음식물 쓰레기봉투를 걸치고는 각양각색을 담고 있는 비닐과 박스로 곡예를 하는 상황이 서로 우스웠는지 낯 뜨거운 통성명으로 인사를 텄다. 눈인사로 지나칠 때와는 다르게 말을 건네다보니 성우도 재환도 서로 시원시원한 성격이 딱 마음에 들었다. 그렇게 바로 동네 치킨집으로 자리를 옮겼다.

"친구야!"

"그래, 친구야!"

술을 한잔 걸치고는 동갑임을 확인했다. 그날 이후 각자 일이 바빠 자주는 아니지만, 가끔 이렇게 다 늦은 저녁이면 세상 탓 신세 탓하는 사이가 됐다. 그리고 역시나 어제도 자리가 길어졌다.

"여 박성우, 장사 접었으면 얼른 들어갈 일이지 또 태평하게 한잔 걸치고 있네."

"왔냐? 안 그래도 딱 반병만 더 마시고 들어갈까 하고 심각하게 고민하던 중이었다. 잘왔다. 어서들어와."

"좋지. 뭘 그렇게 뚫어지라 보고 있었어?"

"혹시 뮤지컬 동호회라는 거 들어 본 적 있어?"

워낙 사는 게 바빠 세상 돌아가는 데 관심 둘 처지가 없었던 성우다.

"아니, 그게 뭔데?"

"직장인 동호회라는 건데 꽤나 유명하나 봐."

"직장인 동호회야 엄청 많지. 난 또 뭐라고."

"난 이번에 처음 알았다. 직장인 동호회라고 해서 회사원들 대상으로 하는 건 줄 알았는데 나이 직장 그런 거 전부 상관없이 관심 있는 사람들끼리 모여서 공연을 준비하고 무대에 서는 거라네."

누구나 자신을 둘러싼 세상 밖으로 한 발자국만 나서면 낯섦을 경험하곤 한다. 이사를 할라치면 부동산이 유독 눈에 띄고, 결혼을 준비하다 보면 이렇게나 많고 다양한 웨딩 직업들에 새삼 놀랍다.

언젠가 지금이라도 운동을 시작해야겠다는 생각이 성우의 머릿속에 움튼 적이 있다. 당장 무엇이라도 시작해야만 하는 열정이 온몸을 달군 그날 바로 헬스장을 찾아 나섰다. 놀라웠다. 가게 주변에만 헬스장이 다섯 개나 있었다.

PT 몇 회 무료, 필라테스나 요가를 하면 헬스 기구 무료. 저마다 장점들을 내세우며 치열한 세상을 펼쳐내고 있다는 것에 또 한 번 놀랐다. 물론 무엇보다 가장 놀라운 것은 가격이었다. 결국 도로 몇 개를 건너는 거리에 위치한 공원에서의 달리기로 낙점했다.

'그래, 가게 열기 전에 얼른 뛰고 오자. 새벽 6시면 아무도 없겠지.'

성우의 생각은 보기 좋게 틀려먹었다. 새벽 운동하는 사람들 사이에서 6시면 충분히 늦은 시간이었다. 물론 호기로운 결의도 그리 오래가지 않았다. 그날 이후 성우가 새벽이든 밤이든 그 공원을 다시 찾는 일은 없었다.

동호회라는 존재도 몰랐으니 뮤지컬 동호회라는 것은 성우에게 있어서는 그야말로 신세계였다. 서른다섯의 성우가 처음 알게 된 이 세계에서도 이미 수많은 사람이 각자 자기가 속한 동호회의 역사와 전통을 자랑하고 있었다. 알아볼수록 흥미로웠다. 잠시지만 새로운 가게 자리를 구해야 한다는 스트레스도 잊혀갔다. 성우는 상대가 누가 됐건 주량이 차면 자신의 꿈이 배우였다는 걸 주지시킨다. 재환에게도 예외는 아니었다.

"여기 24시간 문의해도 괜찮다고 적혀 있네. 지금 연락해 봐."

"그럴까? 야, 근데 지금 시간이 너무 늦어잖아."

"적힌 대로 하는 건데 뭐. 야, 줘봐! 내가해볼게."

재환이 핸드폰을 뺏는 시늉을 하자 성우가 손사래를 치며 통화 버튼을 눌렀다.

"안녕하세요."

"인터넷 보고 전화했는데, 거기 뮤지컬 뭐 그런 거 맞지요?"

"네, 맞습니다."

"제가 말이죠. 예전에 학창 시절에 연극을 했던 경험이 있는데 말이죠. 뭐 지금은 안 한 지 꽤 오래됐지만서도요. 아, 그래서 말인데요. 제가 나이가 좀 있고 장사를 하고 있는데, 그래도 그거 하는 거 가능하지요?"

"네, 나이, 직업 아무 상관 없고요. 완전 초보라도 아무 문제 없으니까, 부담 가지지 말고 일단 한 번 도전해보세요. 실제로 여기 하시는 분들 전부 직업도 나이도 천차만별이고 무엇보다 대부분 다 처음이세요."

"아, 난 초보는 아닌데, 내가 가면 거의 뭐 주인공급이겠네요. 아, 네. 일단 설명 감사했습니다. 연락드릴게요."

"네, 더 궁금한 거 있으면 언제든지 연락하세요. 곧 새로운 클래스가 시작되니까 만약에 하실 거라면 좀 일찍 결정을 주셔야 할 것 같아요. 인원이 정해져 있어서 늦게 연락하시면 마감될 수 있어서요. 그럼 참고해주세요."

"아, 그래요? 정원이 몇 명인데요?"

"극마다 다른데 적게는 6명에서 많게는 20명까지, 말 그대로 다양해요."

"아, 정원이라. 마감되면 안 되는데. 아 참, 단체로 등록하면 어떻게 돼요?"

"어떻게 되다니 무슨 말일까요?"

"친구끼리 인원에 맞춰 등록하면 새로운 극 하나를 할 수 있는 건가 하는 말이에요."

"네, 그렇게도 가능하세요."

"무슨 소리야, 오빠?"

하필 오늘 어린이집에 문제가 생겨 퇴근이 늦어진 미진이 처형 집에서 지우를 데리고 오던 길이었다.

"응? 아니야." 황급히 전화를 끊은 성우가 놀란 탓에 말까지 더듬으며 말했다.

"아니긴 뭐가 아니야. 내가 다 들었는데, 재환 씨. 이 사람 방금 누구랑 통화했어요?"

"제수씨, 안녕하세요. 무슨 뮤지컬 동호회라고 하네요. 박성우, 나는 이만 들어갈게."

"거참 저거. 야, 이거 마시던 거는 다 마시고 가. 미진아, 그게 아니라 그냥 가게 쉴 때 연습 잠깐 하고 무대 한 번 오르는 거야. 직업으로 하겠다는게 아니라."

"아, 몰라. 아무튼 하지마! 하지 말라고 나는 분명히 말했다."

"응, 알았어. 걱정하지마. 어서 들어가자."

11

170이 넘는 키, 웬만한 남자 주먹으로 가려지는 얼굴 크기에 패션 센스까지 완벽히 갖춘 미진은 또래에서 모르는 사람이 없었다. 춤과 노래도 곧 잘해 학교 축제 때마다 당시 유행했던 곡들로 무대에 올랐으며, 노래 꽤 부른다면 신청했던 별이 빛나는 밤에도 참가한 이력이 있다.

'졸업만 해봐. 바로 서울 올라가서 프로필 사진부터 찍고 오디션을 보러 다닐 거야.'

성우와 미진은 고등학교 2학년이 되고서 자연스럽게 서로의 학교를 대표하는 서클의 회장이 됐다. 감히 고백하는 사람이 없었던 탓이었는지 원래부터 관심이 있었는지 둘은 연인 관계로 발전했다. 나름 꿈도 같았다. 같이 준비해서 꼭 배우로 성공하자며 그 시절로는 진지하게 응원하고 힘이 돼주기도 했다.

워낙 오래전부터 머릿속으로 그리고 그려왔던 만큼 미진은 고등학교를 졸업하고 얼마 지나지 않아 짐을 꾸렸다. 어렸을 적부터 가족보다 가깝게 지낸 두 살 터울의 사촌 언니가 서울에서 일하고 있어 당분간 지낼 곳도 문제 될 게 없었다. 사촌 언니가 소개해준 옷가게에서 일하며 생활비와 함께 얼마간의 돈도 모아 나갈 생각이었다. 완벽하진 않아도 그럴싸한 계획들이 미진을 설레게 했다.

"완벽한 계획 같은 건 없어."

서울행 버스에 올라타기 전 가려진 미진의 불안감을 읽어낸 성우가 대뜸 얘기했다.

"뜬금없이 무슨 말이야?"

"세상 모든 일이 계획대로 되지 않는다는 뜻이야. 계획대로 되지 않으니까 인생이 재미있는 거고. 그리고 계획대로 다 된다면 다들 성공하겠지. 안 그래? 이럴 때도 있고 저럴 때도 있고 하는게 인생인 것 같아."

"무슨 뚱딴지 같은 소리야? 자꾸."

"아, 미안. 네가 생각이 많아지는 것 같아. 좋은 얘기 좀 해주려고 했는데, 안되는 건 안 되는 거구나."

성우가 멋쩍게 웃었다.

"성우야."

"응?"

"나 잘할 수 있겠지, 잘 되겠지?"

"그럼, 당연하지, 네가 누구야! 미진이잖아. Y 여고 최고 퀸카 남미진! 그리고 조금만 기다려. 나도 곧 올라갈 테니까."

성우도 원래 같이 올라갔어야 했지만, 요즘 엄마의 상태가 또 갑자기 심해진 터라 잠시 곁에 있기로 했다. 꼭 성공하기로 약속하고 미진은 버스에 올랐다. 서로에 대한 약속이었고 자신과의 약속이었다.

일은 힘들었고 사촌 언니의 지하 원룸은 생각보다 아주 좁았다. 연기학원도 등록하고 틈틈이 오디션도 보러 다녔다. 늘 그렇듯 문제는 생각지 못한 곳에서 일어났다. 미진은 서울살이 일 년을 넘기면서 꼭 필요하다는 프로필 사진을 촬영했다. 연기학원 관계자가 소개하면서 부풀렸을 꽤나 유명하다는 이름값에 비해 미진이 봐도 형편없는 사진 몇 장이 두 달 치 월급과 맞먹었다. 그러지 않아도 미진의 터무니없는 꿈이 마땅찮았던 사촌 언니였다. 현실을 알고 저도 그만두겠지 생각했지만, 시간이 지나도 포기할 기미가 보이지 않아 적잖이 당황하고 있기도 했다. 이모(미진의 엄마)에게 미진도 곧 현실을 깨닫고 생각을 달리할 것이라고 호언장담했던 것도 있었다. 아무튼 이래저래 요즘 미진 때문에 생각이 복잡했던 사촌 언니가 프로필 사진 일을 알게 되면서 결국 사달이 났다. 미진은 자신의 꿈을 하찮게 대하는 언니를 평소 모르는 척 있었지만 이날 할 말, 못 할 말 모조리 쏟아 내는데 도저히 같이 있을 수 없다는 생각이 들었다.

미진은 몇 시간이나 전화기를 붙잡고 성우에게 참고 참았던 서러움을 토해냈다. 다음날 모든 걸 차치하고 올라온 성우는 미진과 살림을 꾸렸고 얼마 지나지 않아 지우를 가졌다. 워낙 사는데 바빴고 지우가 커 가는 것을 보는 것만으로 즐겁고 행복했다. 차츰 배우는 미진과 성우에게서 더는 상상조차 해서는 안 되는 꿈이 되어갔다.

성우는 지우를 위해 뭐라도 해야 했기에 여기저기서 조금씩 도움을 받아 장사를 시작했다. 그렇게 하루 이틀 세월이 흘러 언제 그런 꿈을 가졌었나 싶은 생각이 들 정도로 얼굴도 시간도 그 추억도 퇴색해져 갔다. 아기를 낳고 나서 몰라 보게 달라진 자신을 마주하며 자신감이 없어진 미진은 성우에게 화를 내는 것이 다반사였다.

성우는 미진에게 말할 엄두조차 나지 않았다뿐이지 배우에 대한 꿈을 가슴 한 켠에 늘 간직하고 있었다. 미진은 시작이라도 해봤지만, 성우로서는 꿈을 펼칠 기회조차도 없었다. 가정을 꾸리면서 얻은 행복도 컸지만, 이 행복이 한 번 펴보지도 못하고 접어야 했던 배우에 대한 성우의 미련을 완벽히 충족해주지는 못했다.

12

배우에 대한 성우의 꿈은 부모님의 영향이 컸다. 성우와 민석, 명주는 같은 대문을 공유했다. 파란 대문을 열고 들어가면 좁다란 길이 나오는데 오른쪽으로 틀면 성우, 왼쪽은 민석네다. 가장 안쪽 집으로 널찍한 마루를 자랑하는 방 세 개짜리 집은 명주가 살고 있었다.

자연스럽게 셋은 성우가 다른 집으로 이사 가기 전까지 같이 지냈다. 부모님들 역시 사이가 좋았기에 함께 어울리는 시간이 많았다. 이들이 친구가 된 배경이기도 하다.

성우의 어머니 지애가 배우를 했었다는 것은 이미 동네에서는 유명한 얘기다. 한때 잘나갔던 배우로 공공연히 알고 있다. 정작 아주머니는 그 얘기가 나오면 손사래를 치며 싫어하는 것을 알고 있어 다들 굳이 들춰내 꺼내지는 않는다.

그날도 여느 때와 마찬가지로 성우집에 모여 비디오를 빌려보고 있었다. 성우의 어머니는 무슨 음식이든지 맛있게 하는 마법을 부리는 게 틀림없었다. 달달하고 부드러운 계란빵과 떡볶이를 포함해 여러 간식들을 뚝딱하며 접시에 내어주곤 하셨는데, 명주도 민석도 각자 집에서는 경험하지 못한 맛이다. 성우네 집이 부엌 딸린 단칸방 하나로 가장 좁았지만 가장 많은 시간을 보낸 이유도 그것이다. 이 날도 성우네 어머니는 떡볶이를 해주겠노라며 부엌에서 떡을 씻고 계셨다. 학교 앞 분식집보다 맛있는 성우 어머니의 떡볶이에 모두 들떠 있었다. 확실히 물엿과 고춧가루를 듬뿍 넣은 맛있게 매운 맛은 지금까지도 그립다. 알싸한 매운맛이 방안으로 스며들 때쯤 전화벨 소리가 울렸다.

"여보세요?"

"네, 제가 지애인데요."

"네? 알겠습니다."

지애는 전화를 받은 자리에서 몇 초간을 왔다 갔다 하며 알아들을 수 없는 혼잣말을 내뱉었다. 성우는 처음 보는 엄마의 모습이 낯설어 그 모습을 그대로 계속 지켜봤다.

"성우야. 엄마가 급하게 어디 나가봐야 해서 그런데 떡볶이 다 됐으니까 같이 먹고 놀고 있어. 금방 올게."

"네!"

성우는 마음대로 먹을 것을 꺼내 먹고 비디오도 볼 수 있다는 생각에 신이

나서 큰소리로 대답했다.

지애가 문밖을 급히나서자마자 성우와 친구들은 방 이곳 저곳을 뛰며 환호성을 질렀다. 한창 후레시맨에 빠져있을 때로 어제 빌려온 비디오를 원 없이 돌려볼 수 있다는 생각에서다. 후레시맨은 외계의 침략으로부터 지구를 지키는 다섯 영웅의 이야기를 담은 어린이 영화로 당시 선풍적인 인기를 끌었다. 영화 시작과 마지막에 흘러나오는 주제곡은 불러보라고 하면 지금도 완창할 수있을 만큼 부르고 또 불렀다.

성우는 주제곡을 흥얼거리며 한 번 더 돌려보기 위해 비디오 장을 살폈다. 항상 잠겨 있어야 할 서랍 하나가 열려 있었다. 엄마가 급하게 나간다고 깜빡한 모양이다. 웬만해선 엄마가 싫어하는 것은 하지 않는 성우지만 이런 기회는 다시 오지 않는다.

"찾았다."

평소 닫혀있던 서랍장에는 숫자가 적힌 여러 개의 비디오가 가지런히 정돈돼 있었다. 성우는 얼른 테이프를 집어넣고 재생 버튼을 눌렀다.

"성우야, 저기 나오는 분 너희 엄마 아니야?"

"응, 맞는 거 같아."

"우와. 진짜 예쁘시다."

"근데 이건 뭐야? 뭔가 영화는 아닌 거 같은데."

"아, 맞아. 우리 엄마 배우 때인가?"

성우 자신도 처음 보는 엄마의 모습이 신기한 듯 눈을 떼지 못한 채 말을 줄였다.

"야, 우와! 멋있다."

"진짜 엄청 예쁘시다."

모두 아무 말 없이 넋 놓고 한참을 보냈다. 성우가 배우의 꿈을 가지게 된 것은 정확히 이때부터였다. 정확히 말하자면 뮤지컬 배우다. 변변한 영화관 조차 없는 시골에 뮤지컬이라는 고급문화를 접할 기회가 없었기에 성우와 친구들은 눈 앞에 펼쳐진 것이 무엇인지 전혀 알지 못했다. 그저 넋 놓고 가만히 보고 있을 뿐이었다. 화려한 의상을 한 배우들이 빠르게 나왔다가 사라졌다. 각자 그리고 또 함께 만들어내는 노래들에 매료돼 내지른 감탄사만이 할 수 있는 전부였다. 나중에 알게 됐지만, 그때 본 것은 뮤지컬 그리스였다. 그리스는 1972년 브로드웨이 초연 이후 전 세계에서 사랑받는 베스트셀러 뮤지컬이다. 자신들만의 꿈을 순수한 열정을 무기 삼아 펼쳐나가는 이야기를 담고 있다. 국내에서는 2003년 초연됐지만 이미 존 트라볼타와 올리비아 뉴튼 존을 최고의 청춘스타로 만든 영화로 인해 연극이나 뮤지컬이 아마추어스럽게 열리고 있었다.

"야! 우리도 저거 해 보자!" 한 시간 남짓한 뮤지컬이 끝난 후, 성우가 흥분에 찬 목소리로 소리를 내질렀다.

13

아프다. 아파서 술도 제대로 쉴 수 없다. 밥도 물도 넘어가지 않고 목소리를 내기도 힘들다. 어스름이 내릴 때쯤 억지로 몸을 일으켜 소주 한 병을 쥐어낸다. 싱크대에 널브러진 컵을 건져내 소주를 붓는다. 한 잔, 두 잔. 속이 울렁거린다. 헛구역질해보지만 먹은 것이 없어 괴로울 뿐이다. 이 울렁거림, 어제도 아니 조금 전에도 느꼈다. 사실 어제인지 오늘인지 분간할 수 없다. 그저 반복이다. 차라리 이대로 죽어버릴까 생각해 본다. 그렇게 시간은 흐른다. 시간은 뒤늦은 이해와 후회로 위로한다. 찢긴 곳을 찾아 새 살을 돋게 한다. 시간은 그렇게 누구에게나 평등하고 정직하게 제 할 일을 한다. 물론 흉터는 남는다.

지애는 헛구역질을 토해내며 눈을 떴다. 속이 불편하고 메스껍다. 머리부터 발끝까지 오한이 느껴진다. 온몸 구석구석 신경세포를 누군가 신경질적으로 계속 건드리는, 익숙하지 않은 고통이 괴롭힌다. 끊어질 듯한 의식을 간신히 붙잡고 있다. 스치듯 불안한 생각에 급히 확인해 보니 흰색 원피스와 노란색 카디건이 새 옷 마냥 깨끗하다. 우진에게 받은 첫 선물이다. 고이 접어 포장해 놓았다가 중요한 날에만 꺼내 입는 바로 그 옷이 틀림없다. 머리가 지끈거려 중지와 약지를 이마 위로 가져가 힘껏 눌렀다. 기분 나쁜 미끈거림이 느껴져 확인해보니 피가 묻어져 나왔다. 붉은 부스러기와 함께 적갈색 딱지가 묻어져 나왔다. 순간 놀라 거울을 꺼내 들었다. 우진이 행복하다는 듯이 웃고 있다.

성우는 이맘때쯤이면 엄마가 걱정된다. 아버지의 기일이 다가올수록 지애의 불안 증세가 심해지기 때문이다. 올해는 며칠 전부터 수화기 너머 목소리에서 애써 가려놓은 불안감이 느껴졌다. 미진에게 먼저 내려가 있어 달라고 부탁했다. 뱃속에 지우가 있었지만 그만큼 목소리가 예사롭지 않았다. 엄마 지애에 대한 성우의 직감은 틀린 적이 거의 없었다.

"당신을 사랑하고, 그토록 원했다는 것을 지금에서야 깨닫고 있어. 다음 생엔 내가 당신을 어떻게든 찾아갈게."

"어머님!"

문을 열고 들어선 미진은 너무 놀라 비명도 나오지 않았다. 신발을 벗을 새도 없이 달려가 부여잡은 지애의 팔에는 피가 넘쳐흐르고 있었다. 커터 칼이 붉은색으로 점철됐고 자그마한 흰색 약통과 소주 병이 소리를 내며 굴러가고 있었다. 미진은 얼른 입고 있던 카디건을 벗어 피를 토해내고 있는 팔목을 둘렀다. 흰색 카디건은 순식간에 붉은색으로 물들었다. 아직 의식은 붙어 있다. 다행히 위험 부위는 피한 것이다.

"어머님, 괜찮으세요? 이게 도대체 무슨 일이에요?"

"누구냐, 미진이냐?"

"무슨 술을 이렇게나…."

술을 마시지 못하는 지애에게 풍기는 알코올 냄새는 무척이나 낯설다.

"아무도 모를 거야. 내가 성우 아버지, 우진 씨에게 얼마나 몹쓸 짓을 했는지."

14

"이태성."

"김지애."

"응. 정말 오랜만이네, 안 그래도 요즘 TV 통해 보고 있었어. 역시 잘 될 줄 알았어."

"고마워, 이제 시작하는 단계인데 뭐." 뜻하지 않은 태성의 칭찬에 지애가 승리감이 묻어난 목소리와 함께 어깨를 으쓱거렸다.

졸업을 하고서도 몇 년이 지났다. 가슴 깊숙이 밀어 넣었던 감정이 다시 한

번 지애를 심하게 흔들었다. 지애의 눈에 들어온 태성은 여전히 매력이 넘쳐 보였다.

"요즘 어떻게 지내니?"

지애가 무심한 듯 물었다. 어느새 얼굴을 넘어 귀까지 빨갛게 달아올랐다.

"아, 난 이제 그만 가봐야겠다, 반가웠어."

지애의 말이 채 끝나기도 전에 태성은 자리를 피하고자 인사를 남기고 몸을 돌렸다. 지애의 마음을 눈치챘는지는 모를 일이다.

학창 시절 지애 얼굴 한 번 보고 말 한 번 붙여 보려는 남자만해도 셀 수 없었지만, 유일하게 태성만이 지애의 마음을 짓뭉개고 무시했다.

"야, 이태성. 거기 서."

주변 사람들이 모두 들었을 법한 목소리다.

"이태성."

한층 소리를 높였지만, 태성은 아랑곳하지 않고 문 쪽으로 향했다.

"야, 넌 뭐가 그렇게 잘났어? 야!"

아까부터 반신반의하며 지애를 보고 있던 사람들이 하나둘씩 모여들더니 어느새 지애 주변으로 제법 시끌벅적해져 있었다. 태성은 고개를 들어 깜빡거리는 신호등을 확인하고 지하철 출구가 있는 반대편으로 급히 건너갔다. 태성으로부터 철저히 뭉개졌던 학창 시절 감정들이 미친 듯이 되살아났다.

"꺄!"

찢어질 듯한 비명 소리. 순간 지애의 가슴이 도로 위 경적과 함께 요동쳤다. 정말 순식간이라고밖에 설명할 수 없는 찰나였다. 지애는 차가운 아스팔트 위 우진에게 안겨있었다. 터질듯한 타이어 소리를 냈던 트럭에서 50m는 날아왔을 거리다.

"박우진! 누가 119에 신고 좀 해주세요."

지애가 절규를 토해냈다. 정신 나간 외침과 울음 해범벅이 된 목소리가 뒤섞여 있었다.

"박우진, 야 이 자식아 너하고 약속했잖아. 지애하고 아무 말도 하지 않는다고!"

태성이 넋 나간 사람처럼 지켜서서 흐느끼듯 반복했다.

"난 너하고 약속을 지키려고…. 지키려고…."

지애는 우진의 장례식 후 모든 것을 그만두고 Y에 내려왔다. 괜찮다가도 어느 날 우진이 미친 듯이 그리웠다. 시간이 지나면서 조금씩 잦아들긴 했지만 가끔 정말이지 참지 못할 만큼 보고 싶다. 단 하나 바라는 것이 있다면 우진에게 전하고 싶다.

'미안하고 고맙고 사랑하고 아프다고.'

혹여 자신에게 무슨 일이 생기면 언제라도 나타났던 우진이기에, 지애는 오늘도 아프고 또 아프다고 되뇄다.

15

황민석 시험 날, 오후 9시.

웬만해선 혀 꼬부라진 소리까지는 내지 않는 성우다.

"내 굼이, 내 굼이 말이다."

벌써 몇 시간째 소주 맥주를 번갈아 가며 마셔 된 터라 어느새 달아오를 대로 달아오른 얼굴을 하고선 외계어를 남발하기 시작했다. 자리를 정리해야 하는 시간을 의미하기도 한다.

"야, 이봐. 아직 쓸만하잖아."

명주가 일어나 계산하려는 찰나 성우가 화들짝 일어나더니 외쳤다. 휘청이는 다리를 거울 앞으로 끌고 가서 얼굴을 이리 틀었다 저리 틀기를 반복했다. 분명 내일이면 기억하지 못할 행동임에 뻔하다.

사실 뭐 찬찬히 뜯어보면 여전히 눈, 코, 입 생김새는 꾸며놓으면 나쁘지 않다. 온종일 바깥에서 손님을 상대하면서 턱선까지 침범할 기세인 다크서클만 제외하면 말이다. 거기에 선크림 바르는 시간과 돈을 아낀다는 명목으로 얼굴 곳곳에 서서히 올라오는 검버섯도 생략해야겠긴 하다.

"아, 그래. 잘생겼어. 잘생겼어. 야 도전해봐. 뭐 도전하는 데 돈 드는 것도 아니잖아."

명주와 영훈이 눈을 마주치고는 적극적인 호응으로 태도를 전향했다. 농담 반 진담 반으로 꺼내는 성우의 배우 얘기에 원래대로라면 자리가 끝날 때까지 알은체도 하지 말아야 하지만 민석의 기 살리기로 촉발된 분위기 때문이기도 했으리라. 무엇보다 이쯤 되면 뭐라 말을 해도 알아듣지 않을 타이밍이기에 어서 빨리 이 주제에 벗어나야지만 자리가 끝날 것 같다.

"피부관리도 좀 받고 진짜 도전해봐. 까짓것 더 늙으면 그런 생각하는 자체가 사치다. 생각조차 못 하게 된다고, '아, 이 얼마나 슬픈 일이던가.'" 명주가 연극배우 시늉을 하며 읊조렸다.

"그래, 해 봐. 요즘엔 탤런트 뽑은 프로그램이 없나? 저번에 보니까 잘나가는 대기업 그만두고 그런데 나가서 자리 잡은 배우들도 있더구먼. 너라고 못 하겠냐."

"그럼, 박성우가 누구냐? Y 고등학교 박성우 모르면 아주 간첩이었지."

성우가 배우를 하고 싶어 했던 것을 누구보다 잘 아는 친구들이지만, 지금은 상황이 많이 다르다. 가장의 역할을 팽개치고 자기 꿈만 쫓는 것은 전혀 다른 얘기다. 누구보다 성우의 형편을 잘 알고 있는 명주이기 때문에 처음 얘기를 꺼냈을 때부터 걱정이 앞섰다. 하지만 지금 자리에서는 뭐든지 응원을 해줘야 할 것만 같은 분위기다. 더욱이 취미로 하는 뮤지컬 정도는 괜찮겠다 싶었다.

"야, 그러면 같이 하자. 기억 안 나냐 어렸을 때, 같이 하기로 했잖아."

"너 하는 것까지는 응원하겠는데, 자꾸 우리까지 들먹이지 마. 그게 언제 적 얘긴데 자꾸 들먹이며 같이 하재."

"야, 죽은 사람 소원도 들어준다는데. 야, 내가 무슨 배우를 진짜 하겠다는 것도 아니고 우리끼리 작은 공연 한번 하자는 거잖아."

"안돼."

"나도 안돼."

"나 해볼래."

민석이다.

"오, 민석아. 그래, 너 생각 잘했다. 그래, 이참에 생각도 정리하고 그래."

"황민석, 너 진심이야? 술 취해서 그냥 막 던지는 거 아니야? 너 한다고 했다가 나중에 안 한다고 하면 얘 무슨 짓을 할지 몰라 잘 생각하고 대답해. 이거 상태봐서 필름 끊기지 전이야." 명주가 민석의 눈을 똑바로 쳐다보고 다시 한 번 물었다.

"응, 나도 새로운 거 한번 해봐야겠다. 그리고 나도 좀 생겼잖아. 야, 얘 꿈이라잖아. 뭐 같이 죽자는 것도 아니고 그거 같이 한 번 못 해주겠냐. 하자. 당분간 나도 생각이라는 게 필요할 것 같으니, 새로운 사람들도 만나고 도전하고 용기도 좀 가져 보려고. 너무 거창한가?"

"그래, 하자 해. 청춘 다 지나가기 전에 추억하나 더 만든다 생각하면 되지. 우리 성우 주인공 한번 시켜주자."

"그래, 황민석, 김영훈 생각 한번 잘했다. 민석아 시험도 궁합이 있데. 안 맞는 거야 그냥. 천천히 생각해보자. 뭐 먹고 살 거 없겠냐. 더군다나 우리 민석이가 누구야? 머리 하나는 아주 끝내주잖냐."

"그래, 그래. 하자 해. 성우야 근데 지금은 안 바쁘지?" 명주가 해탈한 듯이 성우의 말을 받아쳤다.

"뭔 소리야?

"잔 비웠잖아. 빨리 따르라고~~."

"아, 모르겠다. 그래, 뭐 일주일에 한 번 시간 못 내겠냐? 하자 해. 내가 진짜 너희들 때문에 웃는다. 요즘 전부 심심해 죽겠는 찰나에 잘됐네 그래."

명주가 헛웃음을 뱉어내며 잔을 들었다.

"그래, 나도 찬성이다."

"아, 근데 나도 할 말이 있긴 해." 영훈이다.

"뭔데 그렇게 뜸을 들여. 얘기해, 이제는 뭐 아주 놀랍지도 않다. 오늘같이 관대한 날 없다. 네가 어떤 얘기를 해도 다 받아줄 테니까 어서 형한테 털어놓아 보렴."

"맞아, 김영훈 요즘 수상해. 너 요즘 연애하지?" 여태 흥분이 가시지 않은 성우가 한층 높은 톤으로 대화를 이어나갔다.

"응."

"응?"

"아, 정확히 말하자면 그런 건 아닌데. 아, 그거보다 나 사고 친 거 같아."

"야, 네가 팽이야? 뭘 자꾸 돌려. 빨리 그냥 말해."

16

새벽 다섯 시. 은정이 영훈을 향해 돌아누워 있다. 영훈은 불현듯 어제 있었던 일들이 파노라마같이 떠올랐다. 쓸데없이 장면 장면 모두 놓치지 않고 생생하다. 하나같이 평소 영훈이라면 할 수 없던 말과 행동들이었다. 영훈은 생각회로가 멈춘 것 마냥 당분간 천장을 응시했다.

영훈은 어제 회사에서 부서 회식이 있었고 은정이라는 친구와 밤을 함께 보냈다는 믿을 수 없는 이야기를 했다. 화자가 명주였다면 물론 전혀 놀랄 일이 아니다. 하지만 지금 말을 하고 있는 것은 다름 아닌 영훈이다. 서른 중반을 넘기면서까지 여자친구라고는 한 번 사귀어본 적도 없는 바로 그 영훈 말이다.

아무튼 대한민국이 월드컵 우승컵을 들어 올리는 것보다 더 충격적인 이 사건은 뮤지컬 얘기가 중간에 끊겨 심드렁해진 성우를 비롯해 명주와 민석, 모두의 눈을 번쩍 뜨이게 했다. 모두 믿기지 않는다는 표정이 역력한 얼굴로 영훈을 바라봤다. 이런 분위기. 오늘만 벌써 세 번째다.

영훈은 경찰서에 갈 일은 아니라며 묻지도 않은 나름 제 딴에는 농담인지 아닌지 분간이 안 되는 말로 웃음을 지어 보였다. 성우와 영훈의 잇따른 고백에 어느새 민석의 시험 얘기는 자연스럽게 잊혀가고 있었다.

영훈은 졸업하고 3년이 지나 직원 200명 정도의 탄탄한 중소기업 마케팅 팀에 입사했다. 영훈도 처음에는 대기업 아니면 가지 않겠다는 각오였다. 나름 대학 친구들이 한창 마시고 즐겼던 신입생 시절부터 취업을 생각하고 이력서를 채우기 위해 열심히 준비했다. 성적 장학금을 놓친 적이 없었고 토익은 9백 점을 넘는다. 요즘 새롭게 뜨고 있다는 영어 말하기 등급도 충분히 받아놨다. 남들 다 가지고 있는 컴퓨터 자격증은 물론 한문이니 한국사니 하는 자격증은 진작에 갖춰가며 만반의 준비를 했다.

영훈은 이런 노력이 반드시 빛을 발할 것이라고 굳건히 믿었다. 그리고 그 믿음들은 취업 전선에 본격적으로 뛰어들면서 조금씩 조금씩 희미해져 갔다. 처음 몇 개월은 서류 합격만으로도 얼마나 대단한 것인가를 깨닫는 시간이었다. 간간이 서류에 붙어 보게 된 면접에서는 제대로 된 대답 한 번 못해보고 쫓겨나듯 떨어졌다.

'나라도 저 친구들을 뽑겠다.'

함께 면접 보는 친구들이 질문마다 내놓는 멋들어진 답변을 들으면서 없던 자신감은 바닥까지 떨어졌다. 취업스터디, 면접스터디도 되는대로 가입했다. 시간이 나는 대로 봉사활동도 찾아 나섰다. 유행이라는 토론면접을 대비해 TV 시사 토론 프로그램 대본도 구해 모조리 외워버렸다. 준비한 자기소개와 장단점도 수십 가지다. 자기소개 속 인물은 점점 실제 영훈의 모습과 멀어진, 전혀 다른 인물이 돼갔다. 이력서 제출만 백 번이 넘어가고서부터는 자기소개 속 인물이 본인인지, 자신이 그 인물인지 분간이 안 될 지경이긴 하다.

흔히들 말하는 스스로 준비할 수 있는 스펙은 더 채워 나갈 것도 없다. 어느새 졸업 학기부터 시작해 서류를 낸 것만 삼백 개가 넘어간다. 우리나라에 이렇게 많은 기업이 있는지 몰랐다. 취업에 성공한 선배들은 원하지 않는 충고와 조언을 건네며 아직 삼백 개로는 부족하다는 훈수를 해댄다. 그러지 못한, 신입생 시절 그렇게 대단하고 커 보이던 또 다른 선배들은 공무원이 최고라며 죄다 공무원 준비를 하거나 마치 죄라도 지은 마냥 조용히 학교에 서식하고 있었다. 솔직히 이때까지도 나는 아닐 것이라는 생각과 함께 노력 부족이라며 스스로를 안심시켰다.

그래, 노력이 부족하다고 한다. 더 어떤 노력이 필요한지는 모르겠으나 이것저것 더 해보려고 한다. 탓할 것이라고는 부족함 밖에 없으니 어느 것 하나 더 채울 것이 없는지 다시 찾아본다.

대기업에서 양보해 이름있는 기업이라 치면 망설임 없이 지원하기 시작했다.

'아, 이 정도면 튼실하네.'

'여기라도 되면 좋겠다.'

'어디든 되고 보자.'

자연스러운 단계별 의식의 흐름을 경험해 간다.

'그래, 나만 취업에 어려움을 겪고 있는 건 아니야!'

'어차피 한군데만 합격하면 돼. 회사를 여러군데 다닐 건 아니잖아.'

단국 이래 최대 실업난이라는 기사를 접할 때마다 자신을 합리화시킨다. 그러다 되는 친구들은 또 되는 것을 옆에서 지켜보며 떨어질 대로 떨어진 자존감을 있는 힘껏 짜내 나를 윽박지른다.

롤러코스터 감정 기복을 유지한 일 년 가량의 시간을 보낸 후 대기업 마케팅팀 인턴 합격 통보를 받았다. 비록 3개월짜리 비전환형 인턴이라지만 처음 받아보는 최종 합격 소식에 뛸 듯이 기뻤다. 평소보다 못 본 면접이었던 것만큼 전혀 기대하지 않았기에 그 기쁨은 더 컸다.

큰 마음먹고 브랜드 정장 한 벌과 와이셔츠도 두 장이나 마련했다. 마케팅팀이 어떤 일을 하는지 잘은 알지 못했지만 일단 가서 열심히 하면 될 것이다.

인턴 생활을 무사히 마친 영훈은 이를 경험 삼아 마케팅팀만 집중적으로 공략했다. 그리고 마침내 지금 회사에 신입사원으로 합격했다.

어느덧 7년 차. 처음 몇 년은 그나마 쥐꼬리만큼이라도 올랐던 연봉이 회사에서 사정을 운운하며 계속 동결이다. TV, 신문에서는 연신 직장인 평균 연봉이 4천이니 5천이니 하는 다른 나라 이야기를 떠들어댄다. 아직 월 2백도 못 받는 영훈은 여전히 더 노력을 해야 한다. 더 열심히 하면 나도 저만큼은 받을 수 있을 것이다.

17

두 달 전 입사한 인턴사원의 얼굴에서 어떻게 해야 할지 모르겠다는 표정이 포착된다. 왠지 모르게 예슬이와 비슷한 느낌이 있어 처음부터 눈길이 갔던 은정이라는 친구다.

착각인가. 영훈은 자신을 힐끔힐끔 보는 것이 도움을 갈구하는 것 같다. 영훈이 성격이라면, 또 예전 같았으면 뒷일 생각 안 하고 도와주고 사람 좋은 소릴 들었을 것이다. 더욱이 예전 인턴 시절도 떠올라 마음이 흔들렸지만 이

내 빨리 처리해야 할 일이 있다는 것을 깨닫고 고개를 돌린다.

'김영훈 이러지 말자. 저거 말 걸기 시작하면 적어도 30분이다.'

회사에서는 최대한 웃음을 감춰야 한다. 쉽게 보이면 안 된다. 언제부터인가 나도 모르는 사이에 이용당하는 것이 눈에 띄게 많아지고, 그럴수록 혼나는 횟수도 많아진다. 사실 이용이라는 것도 눈치채지 못한다. 언제나 그 당시에는 모르고 넘어가지만 가만히 자려고 누워 복기해보면 그 상황 상황들이 그리 간단하지만은 않았다는 것을 깨닫곤 한다. 자기 좋은 쪽으로 해석하는, 가령 성우라면 이러니저러니 생각 않고 넘어갈 일이지만, 영훈은 성격상 그게 안된다.

누가 노력에는 장사가 없다고 했는가. 영훈은 회사 생활이 길어질수록 업무역량은 노력과 비례하지 않는다는 걸 깨닫는다.

상사와 몇 안 되는 후배와의 관계는 너무나 어렵고, 아침에 조심스럽게 올린 보고서는 다시 한번 기본이 안됐다는 소리와 함께 책상에 던져진다. 주말 내내 이리고치고 저리 고친 바로 그 보고서다.

본부장은 하루에 영훈의 이름만 족히 스무 번은 넘게 불러댄다. 옆 동료가 하루에 몇 번이나 이름이 불리는지 세어봤는데, 서른다섯 번의 대기록을 달성했다며 힘내라고 메신저를 보낸 적도 있다. 처음에는 주변 사람들이 나를 어떻게 볼까 걱정도 되고 창피스럽기도 했다. 이제는 그런 것 따위야 어쨌든 내가 살고 봐야 한다는 생각이다. 그따위 걸 걱정한다는 자체가 사치다. 조금이라도 덜 혼나는 하루를 보내는 것이 오늘의 목표다.

"오늘 팀 회식이다."

자유롭고 평등한 조직 문화는 항상 TV 속 모습이다. 갑작스러운 팀 회식에 전부 일정을 뺀다.

"일정들 있으시면 가도 되는데, 뭐 오늘 소고기야."

물어보고 싶다. 회식 때 소고기를 먹는 게 그렇게 중요한지. 회식 자리에서 일 얘기는 하지 말자고 하지만 막상 취기가 오르기 시작하면, 늘 그렇듯 먹잇 감이 필요하다.

'네가 고생하는 거 안다. 다 널 위해서 하는 얘기다.'

영훈도 처음에는 정말 자신을 아끼고 걱정해서 하는 소리로 알았다. 고맙고 죄송스러웠다. 하지만 다 개소리다. 그냥 자기 기분대로 내뱉을 말을 포장하기 위한 사전 작업일 뿐이다.

"야, 김영훈, 바쁘냐?"

"아니요. 어떤 것 때문에 그러시는지.."

"잔이 비었잖아. 도대체가 넌 어떻게 된 놈인데 제대로 하는 게 없냐?"

"네네."

"야, 잔 비워."

잘 보이고 싶은 마음에 오늘 또 치사량을 넘었다. 속이 계속 심상치 않다. 급하게 나온다고 우유도 챙겨 마시지 못했다. 기분 탓인지 취기가 더 빨리 오르는 것 같다. 본부장은 오늘 또 날을 잡았나 보다. 무슨 얘기만 나오면 영훈을 걸고넘어진다. 취기를 용기 삼아 조금이라도 꿈틀대고 싶지만, 몸에 밴 패배감으로 그렇게 하지는 못한다.

"은정씨? 계약직이라고 했나. 어떻게 회사는 좀 다닐만해?" 본부장이 혀 꼬부라진 소리로 물었다.

"네, 즐겁게 다니고 있습니다."

"허허허, 씩씩하네그려. 모르는 거 있으면 선배들한테 물어보고. 가만 보자 마케팅팀이면 김영훈 대리가 멘토 역할을 하고 있겠네?"

"아, 저 말고 이진영 대리가 하고 있습니다."

"이대리는 안 그래도 할 일이 많을 텐데. 계약직 따위 멘토를 시키고 그래. 야, 김영훈네가 못미더우니까 이런것도 못 맡기는 거 아니야? 어휴, 저걸 진짜 어디에다 써먹냐."

'계약직 따위.'

"아, 네. 저기 본부장님, 은정 씨가 옆에 있는데 그런 말씀을 하시는 건 좀 아닌 것 같습니다." 어디서 그런 용기가 났는지 영훈이 고개를 숙인 채 신중히 끼어들었다.

본부장은 어처구니가 없다는 듯 영훈을 잠시 쳐다봤다. 딱히 영훈이 틀린 말을 한 것은 아니기에 마땅히 할 말이 생각나지 않았다.

"아, 정말 술맛 떨어져서는."

본부장은 소리를 높이고 담배 핑계로 자리를 피했다. 회사 생활이 더 힘들어질 것 같다는 생각이 영훈의 뇌리를 강하게 스쳤다.

주량은 이미 넘은지 오래다. 영훈은 어찌 된 영문인지 지금 이 순간만큼은 할 말을 했다는 생각에 기분이 좋아졌다. 정말 많이 취하긴 했나 보다. 본부장을 따라나섰던 팀장과 이 대리 등 몇 명이 한참을 지나도 오질 않는 거 보니 그대로 2차를 간 것 같은 느낌이다.

"한창 분위기 좋았는데 비싼 소고기 먹고 이게 뭐야."

누군가 영훈이 들으란 듯이 말하고서는 일어섰다.

"자, 우리도 2차 갑시다."

술자리가 그대로 마무리되고 영훈을 제외한 모든 팀원들이 일사분란하게 모였다가 삼삼오오 사라졌다.

"영훈 대리님!"

"어? 은정 씨는 2차 안 가시나봐요. 아까는 괜히 저 때문에 곤란하셨죠? 미안해요. 저도 모르게 말이 튀어나와서."

"아니에요. 고마웠어요! 본부장님은 마케팅팀에 제가 있는지도 모르셨을 거예요. 인사도 잘 안 받아주시는데요 뭘."

"그래도 본부장님도 그렇고 팀장님도 그렇고 다들 사람은 좋으신 분이예요. 분일꺼예요" 영훈은 말하고서는 자기도 멋쩍었는지 사람 좋은 웃음을 보인다.

"와, 대리님 그렇게 매일 당하시면서도 팀장님을 감싸주시네요. 대리님은 정말 좋은 분 같아요."

"아니에요. 잘못 알고 계신 거예요. 아 참, 집이 어디 쪽이시라고 했죠?"

"낙성대 쪽이요!"

"어, 저도 낙성대 사는데 왜 몰랐지."

"전 알고 있었는데요. 가끔 출근할 때 대리님 보곤 했어요. 항상 이어폰을 꽂으시고는 골똘히 생각 중이신 거 같아서 알은체는 못 했지만요."

"아, 그랬구나, 인사하셔도 되는데. 그냥 잠이 덜 깨서 그랬던 걸 거예요. 아, 그럼 혹시 택시같이 타고 가실래요?"

"네, 좋아요!"

영훈은 이날 본부장에게도 그렇고, 방금 은정에게도 평소 성격이라면 꿈도 꾸지 못할 말과 행동을 서슴지 않고 하는 자신에게 새삼 놀라고 있었지만 담담한 척 미소지었다.

"대리님, 아까 본부장님에게 한 방 먹인 거 생각하세요?"

"응? 무슨 말이야?"

"아니, 아까부터 무슨 생각을 하시는지 미소 짓고 있으시길래요."

"아, 아니야. 그런 건 아니고 잠깐 다른 생각을 했어요. 제가 혼자 생각이 좀 많거든요."

"아, 말 편하게 하세요. 제가 한참 어린데요. 그리고 뭐 다른 분들은 전부 말 편하게 하고 계세요. 너무 편하게 해서 문제지만요. 하하."

은정은 집까지 가는 택시에서 자기에 대해 이것저것 얘기했다. 제주도가 고향으로 현재 낙성대는 친구와 함께 살고 있다. 아버지와 두 살 터울 여동생은 제주도에 식당을 하고 있으며, 엄마는 교통사고로 돌아가셨다. 어렸을 적부터 마냥 서울로 가는 것이 꿈이었던 은정은 엄마가 잘못되고서부터는 그 꿈이 더욱더 간절해졌다고 한다.

회사의 업종이나 직군 따위는 상관없었다. 서울에서 다닐 수 있는 회사라고 하면 더 살펴보지도 않고 서류를 냈고, 면접을 거쳐 지금 다니고 있는 회사로부터 계약직 합격 통보를 받았다. 은정은 그간 아르바이트하면서 모은 돈과 월급이면 당분간의 생활은 가능하겠다는 계산 끝에 짐을 싸고 바로 서울로 향했다.

회사에서 일을 잘한다는 평이 자자한 이진영 대리가 멘토를 맡아 이것저것 소개하고 안내했다. 이대리는 얼굴도 이쁘장하고 성격도 좋은 은정에게 호감이 갔다. 일을 던지는 족족 처리해내고 이것저것 알아서 해결하는 것을 보자니 볼 수록 점점 더 눈에 들어왔다. 퇴근 후 은정에게 연락하는 횟 수가 잦아지더니 이제는 술만 마시면 전화한다. 처음에는 회사 일인가 싶어 받았지만 은정도 이제는 아닌 것을 안다.

이대리는 적극적으로 관심을 내비치는데도 모른 체하는 은정이 얄밉다. 보이지 않는 괴롭힘은 급기야 회사에서도 이어졌다.

'대리님도 곧 그만하시겠지.'

은정은 아무에게도 말하지 않고 꾹 참았다. 누구나 그렇듯 은정은 이왕 이렇게 된 거 바로 정규직이 되기를 바랐다.

아무리 조그만 회사 계약직이라도 어렵게 들어온 것이고 무엇보다 그냥 서울에 있고 싶었다.

영훈은 용기가 필요했을 얘기를 밝은 어투로 계속 이어나가는 은정의 손을 저도 모르게 살포시 잡았다. 은정은 잠시 흠칫했지만, 그대로 이야기를 이어나갔다. 영훈은 은정이 자신의 손을 힘껏 잡는 것을 느꼈다.

은정은 방금 전 보다 더 밝고 큰 목소리로 살아왔던 얘기들을 털어놓았다. 평소에도 사람 좋은 모습에 눈길이 갔던 영훈이 자신을 위해 나서 준 그 순간부터 은정은 다른 건 일단 생각되지 않을 만큼 가슴이 뛰었다. 영훈은 나머지 한 손을 은정의 뺨에 올렸고, 가만히 입술을 가져갔다. 그렇게 목적지까지 이어졌다.

18

명주와 성우, 민석이 갓난 아이 때부터 어울리던 사이라면 영훈은 초등학교 6학년이 되어서야 합류했다. 영훈은 Y 여자고등학교 국어선생님 진욱의 아들이다. 진욱은 미진에게 전해 듣기로 Y 여자고등학교에서도 융통성이라고는 단 1분 1초도 발휘하지 않는 독보적 존재다.

진욱은 영훈이 말을 알아들을 수 있는 나이부터 남들에게 피해를 주는 일은 없어야 한다고 교육했다. 나중에 깨닫게 된 것이지만, 남은 내가 그들이 그어놓은 선을 넘지 않는 이상 크게 관심이 없는데도 말이다.

영훈은 바른말과 행동만을 해야 한다고 듣고 또 듣고 주의를 받았다. 아버지의 가르침을 그대로 따르는 최선의 방법은 있는 듯 없는 듯 조용히 지내는 것이란 것을 알게 되기까지는 그리 오래 걸리지 않았다. 조금 관심이라도 받을라치면 어색하고 불편한 영훈이다.

초등학교 6학년 때로 기억한다. 명주가 영훈을 생일파티에 초대했다. 갸우뚱했지만 꼭 와야 한다는 명주의 외침에 고개를 끄덕였다. 영훈은 엄마에게 말해 최대한 얌전한 옷과 선물을 준비해 갔다. 잡채와 떡볶이를 비롯해 영훈이 좋아하는 음식들이 넘쳐났다. 명주와 함께 초대받은 친구들이 신나게 떠들어 되며 여기저기를 뛰어다니는 사이 영훈은 그저 조용히 앉아 지켜보고 있었다. 간혹 명주가 영훈의 옷자락을 잡아끌었지만 잠시 일어나서 상황을 살피다 다시 앉기를 반복했다. 파티가 마무리될 즘 모두들 외투를 찾아 입고 나서고 있었다.

"야, 너 식사 자리에서 외투 입는 거 아닌데, 밖에 나가서 입어야 돼."

명주의 여섯살 많은 누나다. 이 누나가 무슨 생각으로 이 얘기를 했는지는 모르겠으나 아무튼 오늘 영훈을 관찰하고 있었다.

"아, 죄송합니다."

순간 얼굴이 붉어졌다. 옆에는 친구들이 옷을 아무렇게나 휘두르고 뛰어나가고 있었다.

"죄송할 것까지는 없어, 뭐 그렇다는 거야, 또 보자."

그 후 영훈은 한 달 내내 그 생각을 떨쳐내지 못했다. 혼자서 몇 번을 곱씹었다. 실수 했구나 하는 생각에 아버지께 죄송했고 밤잠까지 설쳤다.

영훈이 초등학교 6학년을 다니던 1996년은 황비홍을 중심으로 동방불패, 천녀유혼 등 중국 무협 영화 비디오들은 한 번 빌릴라 치면 대기 번호를 달아야 할 정도로 큰 인기를 누렸다. 쉬는 시간마다 교실과 복도에서는 황비홍의 화려한 발재간인 무영각을 따라 한다든가 책상을 넘나드는 축지법을 어렵지 않게 볼 수 있었다.

이연걸의 태극권을 정확히 열 번째 본 성우와 명주다. 그날도 태극권을 따라 한다며 알아듣지 못하는 소리를 내며 빗자루를 휘두르고 대치했다. 성우가 크게 공격하는 시늉을 하기 위해 뒤로 젖힌 빗자루에 마침 지나가고 있던 영훈이 눈을 찔렸다. 병원 구급차가 들어오고 말 그대로 한바탕 소동이 일었다. 놀란 부모님들도 모두 병원으로 서둘러 뛰어오셨다.

다행히 눈 주변을 다친 영훈은 곧 일어났다. 영훈의 아버지가 가장 늦게 도착했는데, 상황을 들어보고는 성우와 명주에게 괜찮다며 울지 말라고 오히려 영훈을 나무랐다. 영훈이 앞을 똑바로 보고 가지 않았기 때문이다.

눈 주변이라고는 하지만 간단한 수술이 필요해 영훈은 2주간 병원에 입원했다. 명주와 성우는 매일 영훈의 병원에 찾아갔다. 병원 안에서 뛰어다니며 소리치는 탓에 주변 환자 가족들과 간호사에게 몇 번을 혼이 났다. 물론 그런 것에 아랑곳할 녀석들이 아니었다. 자기들은 어떻게 논다 같이 놀자 하는 얘기를 신나게 떠들어대며 보여줬다.

영훈은 자신과 다른 이 친구들이 신기하기만 했고, 함께 어울리고 싶다는 생각이 들었다.

19

"아니, 근데 진짜 이것들이 미쳤나. 오늘 뭐 짰어? 한 명만 해."

민석의 시험부터 성우와 영훈의 폭탄 발언까지 가만히 듣고 있던 명주가 격양된 목소리로 말했다.

"왜, 최명주 이제 너 차례야. 자, 형한테 털어놓아 보렴. 너 요즘 화가 너무 많아, 쿨명주 어디 갔어?"

"맞아, 그건 그래, 너 요즘 부쩍 별것도 아닌 일에 화를 내고 짜증을 내는 것 같기는 해."

"아니야, 전부 화를 낼 만한 상황이었어."

"맞아, 그거야. 예전에는 그 화를 낼 만한 상황이어도 좋은 게 좋은 거라고 넘어갔었는데 요즘은 하나도 그냥 넘어가는 게 없잖아. 내 말 틀렸는가?"

명주는 무던하게 부지런한 기차 소리를 가만히 보고 있다. 비슷한 속도의 같은 기차가 오 분 전쯤에도 지나간 것 같은 느낌이다. 어쩌면 같은 것일지도 모른다. 일분일초를 반복하는 여정에 혹시나 지루하지 않을까 하는 정말이지 쓸데없는 걱정도 해본다. 철저히 계산적으로 목적지를 향해 끊임없이 움직임을 아우성 거리는 것이, 애처롭게 꼭 나와 같다.

'지금 세상 모든 재미없는 것이 결국 나다.'

큰 실패를 맛본 것도 아니고, 가슴을 후벼 파는 실존적 아픔을 겪는 것도 아니다. 인생의 큰 변화를 맞이할 만한 어떤 드라마틱 한 사건을 맞닥뜨린 것도 아니다. 단지 나이를 조금 경험했을 뿐이다.

더듬어 보면 내 어린 시절의 서른다섯은 한 집안에서도 분명 큰 어른이었다. 막상 그 나이가 돼 보니 겁만 많아진 철없는 아저씨일 뿐이다. 꿈을 가질 수도 포기할 수도 없는 애매한 시점, 거기에 놓인 방황하는 나이 많은 어린이. 딱 그 이상도 그 이하도 아니다.

나름 할 수 있었을 법한 것들이 꽤나 있었던 청춘들과 극명하게 갈등을 빚어내고 있는 서른 다섯 살의 명주는 요즘 슬럼프를 겪고 있는 듯 하다. 그때는 확실히 꽤나 멀리서 들려오는 기차 경적소리에도 들썩거렸다.

스스로 생각해도 굳이 남들이 남들이 지적하지 않아도 될 만큼 십여 년 전과 비교하면 완벽히 다른 사람이다.

계절을 맞이할 때면 설렌 발걸음으로 쇼핑몰 이곳저곳을 넘나들며 옷차림을 만들었던 대학시절, 한껏 멋스러워 보인 깔끔한 회사원이 들고 다니는 가방에 눈길이 꽂힌 기억이 있다.

"이런 건 어디서 파냐?"

명주가 순간 가지고 싶은 마음에 사진을 찍어 친구에게 물었다.

"너 못 사. 인마, 그게 바로 명품이라는 거야."

감당할만한 월급을 받는 것 인지, 이 또한 나이가 돼 자연스럽게 갖추게 된 것인지는 모르겠으나, 친구가 한참을 비아냥거리며 설명해준 그 명품 가방과 구두와 옷들도 이제 상당히 갖췄다. 당당히 관리받은 얼굴부터 발끝까지 신경 써서 차려입은 날이면 자기가 봐도 꽤나 쓸만하다. 거기다 말본새도 다듬어지고 단어도 제법 고를 줄 알게 돼 교양 있는 척도 할 수 있다. 확실히 살아나가는 스킬들은 두루 갖춘 것 같다.

하지만 서른다섯. 지금 명주는 세상 모든 것이 재미없다. 명품은 차치하고서라도 옷매무새와 겉치장 따위야 어떻겠냐는 식이다. 한창 열을 올린 적도 있지만 꾸미는 것에 서서히 흥미가 떨어지더니 이제는 그냥 편한 옷과 신발이 최고다. 뭐 어차피 봐주는 사람도 없다. 이 또한 나이가 들어서인가 싶다. 그냥 편한 것만을 찾는다. 회사만 아니라면 일주일 내내 같은 옷을 입고 나갈 수도 있다.

명주는 여름을 유독 싫어한다. 더위가 싫어서라기보다 구부정한 어깨에 근육이라고는 전혀 찾아볼 수 없는 팔부터 왜소한 몸을 반소매로는 가릴 수 없기 때문이다. 겨울에는 그런 단점을 자연스럽게 가릴 수 있거니와 옷을 여러 벌 겹쳐 입을 수 있다. 별것도 아닌데 가진 옷 몇 벌을 겹겹이 입고 나가면 옷 좀 입을 줄 안다는 얘기도 듣는다.

나이가 들면서 여름이 더 싫어졌다. 너무 덥다. 나이가 들어서 그런 것 같다. 늘어난 몸무게도 한몫한다.

명주는 이제 누굴 만나는데 설레는 일이 잘 없다. 끔찍이도 싫어했던 운동도 좋고, 눈길 한 번 주지 않았던 도박도 좋다. 아니 개의치 않는다는 표현이 맞는 것 같다. 뭔지 딱 설명할 순 없지만 무엇이든 어떤 식으로라도 반드시 필요한 시점이다.

남의 시선 따위야 정말 아무렇지 않다. 사람도 자리도 상황도 편한 것이 좋다. 이유 없이 하루가 무기력할 뿐이다. 꿈 많고 열정 가득했던 최명주는 온데간데없이 사라지고 하루하루를 살아내가고 있는 서른 중반의 아저씨만 있다. 지금 생각해보면 참으로 어처구니없었던 어린 시절 가졌던 그 꿈들은 짓궂은 안줏거리로 웃어 넘겨질 뿐, 잊어버린 지 오래다.

유행처럼 떠들어대는 근사한 멘토 따위는 있을 리 없다. 배부른 걱정이라며 구박할 것이 뻔하기에 가족과 친구에게는 꺼낼 엄두조차 나지 않는다.

답답한 채로 나를 흘러버린 시간과 상황에 맞춰 갈 뿐이다.

때와 장소를 가리지 않고 항상 누군가에게 잘 보이길 원했고, 칭찬을 갈구해 온 명주다. 딱히 뛰어나거나 그렇다고 부족한 것도 없었지만 주목을 받아야 했다. 누구도 선뜻 나서지 않는 것에 도전하는 걸 좋아했다. 본인조차 처음 보는 것에 대한 두려움보다 주목을 받는 기쁨이 더 컸기 때문이다. 일반적이지 않은 것을 취미로 삼았다. 새로운 것을 한다는 자체로 주변인들에게 적당히 도전적이고 괜찮은 사람이 될 것이라는 생각의 출발이다. 불행인지 다행인지 적응력이 좋아 금세 어느 것도 일정 수준으로 해냈고, 그 안에서 새로운 인연도 만들어나갔다.

딱히 어떤 것이 되고 싶다기보다 가족에게, 친구에게, 여자친구에게 더 나은 사람이고 멋진 사람으로 보이기 위해 노력했다.

최근 들어서는 그런 것도 무기력하고 여유도 없다. 화가 늘어간다. 명주는 혹여 누군가 자신을 향해 장점이 무엇이냐고 물어보면, 스스로를 잘 아는 것이라고 대답한다. 잘하는 것은 모른다 치더라고 부족한 것을 아주 잘 안다. 지금 상태 역시 잘 알고 있다. 이 정도면 위험 수준이다.

한데 딱히 답은 없다.

명주는 누구보다 치열하게 살아왔다. 학창 시절부터 끊임없이 무얼 해야 안도가 됐다. 가만히 있는 것은 경쟁에서 뒤처지는 것이다. 항상 노력이 부족

했기에 더 노력하고, 준비했다. 어떤 것을 하지 않으면 폭발해버릴 것 같이 답답했다. 불안할 것이 하나도 없음에도 항상 불안해했다. 오늘은 내일을 위한 준비를 해야 하고, 주말은 다음 주를 대비하기 위한 시간이다. 20대는 30대를 30대는 40대를 위해 분주해야 한다. 이제 분주하지 않으면, 분주하지 않아서 그 자체로 불안하다. 학창 시절 한 번도 경험해 보지 못한 여자친구와 사랑도 이별도 경험하고 친구들과 여행도 다니며 바쁘기 위해 바쁘게 지냈다.

꿈은 반드시 가져야 한다고 생각했다. 그렇게 강요받고 교육받았다. 스스로 생각이란 것을 할 수 있는 나이가 되기도 전에 수도 없이 들었기에 당연하다고 생각했고 친구들에게도 확신시켰다. 어른이 된 명주는 지금 뒤늦게 자신이 틀렸다는 걸 알아가고 있다.

"우린 십 년 뒤, 이십 년 후에도 이렇게 보는 거다. 쌩까고 그러는 놈 있으면 가만 안 둬."

"맞아, 한 잔해."

"선배들이 그러는데, 그게 참 쉽지가 않대. 누가 잘 돼도 못 돼도, 또 사는 게 다르니까 일 년에 한 번 보기도 힘든 게 사실이란다."

"그런 소리 하지 말라고 너 같은 놈이 배신자가 되는 거야."

학창 시절 내 대화를 보는 마냥 바깥세상은 여전히 연신 의리를 외쳐 댄다. 그 많던 친구들, 연락하고 마주한적이 언제던가. 만나면 나름 즐겁다는 생각에 구태여 미뤄 잡은 약속 날짜가 다가오면 취소되길 바라는 마음이 어느새 간절하다.

다행이라고 해야 할지 요즘 들어서는 다른 쪽으로 마음이 꽤나 번잡스럽다. 부모님이 등 떠밀고 있는 결혼을 막아내야 하기 때문이다.

물론 명주도 결혼은 꼭 할 것이지만, 이렇게 등 떠밀듯이는 아니다. 요즘 들어 몸이 좋지 않다는 엄마가 걱정돼 전화라도 할까 생각했지만 아른거리는 잔소리 앞에 잠시 고민한다.

걱정해서 하는 말인지는 잘 안다. 가만히 듣고만 있어도 된다는 걸 누구보다 잘 알고 있다. 하지만 바로 그게 쉽지가 않다. 처음은 순탄하게 가는가 싶더니 이내 짜증 섞인 단어들이 입에서 튀어나오고 말 것이다. 역시 전화는 하지 않는 게 낫겠다.

통화 버튼을 누르려는 손가락으로 이어폰을 찾았다. 마음이 평온해지는 노래를 검색하고 눈을 감는다.기대하지 않으면 실망도 없다. 한 번쯤은 들어 봤음직한 얘기다. 다만 언제라도 보지 않을 수 있는 관계라는 전제가 있어야 한다. 많이 달라지고 쿨해졌다는 요즘 부모도 그들 자녀에 대한 집착에서는 결단코 자유롭지 못하다.

요즘 명주는 선을 보고 있다.

20

'내가 생각하는 나'와 '내가 되고 싶은 나', 그리고 '보여주고 싶은 나'는 어떻게 이렇게 놀랄 만큼 있는 그대로의 나와 괴리가 있을까. 물론 그렇기 때문에 좀 더 나은 내가 돼 있고, 돼가고 있을 수는 있겠다. 하지만 그럴수록 분명히 지친다. 자연스러움을 극복할 수 없다면, 그 중간은 언제나 어렵다.

명주는 그날 이후 줄곧 편치 않았다. 회사에서도 잠자리에 누워서도 속이 답답해 미칠 지경이다.

명주는 주말 내내 아무것도 못하고 멍하니 생각하고 또 생각했다. 민석부터 성우, 영훈, 그리고 예슬까지….

'너 그렇게 살면 안 돼.'

'왜 이게 어때서? 되는 삶은 뭐고 또 안되는 삶은 어떤 건데. 살아가는 것에 맞고 틀린게 어딨냐고?'

'정답 강요하지 마. 내가 보기엔 네가 제대로 살고 있지 않은 것처럼 보일 수 있으니까. 너도 기분 나쁘지? 네가 듣고 기분 나쁜 것은 다른 사람도 마찬가지라는 걸 똑똑히 기억해 뒀으면 좋겠다.'

'사실 그걸 모르는 것은 아닐 테고 모른척하기로 너 스스로 정한 걸 테지. 그러다 결국 다 떠나 보내고 편한 사람만 찾게 되는 거야. 중요한건 뭔지 알아? 그 편한 사람에게도 노력이 필요하다는 거야. 편하다고 오래 알았다고 네가 네 감정대로 아무렇게나 얘기할 수 있는 대상이 아니라는거지. 오히려 그들에게 스치듯 지나가는 인연보다 몇 곱절 더 큰 정성을 쏟아야 해.'

정작 자신은 그러지 않았음에도 불구하고 그저 있어 보이기 위해서 명주가 한 말 들이다. 막상 민석이 시험을 그만둔다니 해줄 수 있는 게 아무것도 없다. 무엇을 해줄 수도 없으면서 왜 허울 좋은 소리로 민석을 다그쳤는지, 그만두라고 말을 했는지 생각하면 너무나 부끄럽고 또 화가 났다. 아마 절대로 시험을 그만두지 않을 거라는 짐짓 생각에 그런 말을 뱉었는지도 모른다. 그건 민석이 그 꿈을 반드시 이뤘으면 하는 바람도 있었을 테다. 하지만 그날 시험을 그만두겠다고 선언한 민석은 단호히 공부가 지독히도 싫었고 아버지로 인해 자신의 삶을 살아왔다고 털어 놓았다. 그 고백은 낮고 담담했으면서도 서글펐다.

매번 장난식으로 웃어넘긴 배우에 대한 성우의 고집스런 열망도 그랬다. 누구보다 진지했지만 자신의 상황을 알기에 쉽사리 말을 못 했을 테고 행동으로 옮기지 못했던 것뿐이다.

김영훈. 내가 지금까지 알고 있던 영훈은 결코 그런 행동을 할 수 없다. 그동안 얼마나 크고 무거운 돌이 영훈을 짓눌러 왔단 말인가.

가슴이 꽉 막힌 답답함으로 일요일 다 저녁에 소주를 두 병이나 비워냈다. 언제부턴가 하루 술을 마시면 다음 날은 무조건 쉬어야 했지만 오늘 역시도 온종일 복잡한 생각이 머릿 속을 떠나지를 않았다. 이대로라면 집에 간들 아무리 피곤해도 잠이 안 올 것이 뻔하다.

오늘은 왠지 혼자 마시기 싫은 그런 날이다. 그런 의미에서 취업스터디부터 인턴 생활을 함께 보내고, 같은 회사 공채로 합격한 진아는 좋은 술친구다. 남녀 사이에 친구란 있을 수 없다는 진리를 가슴 깊숙이 새겨두는 명주지만 진아만은 아니라는 결론을 내렸던 바 있다. 진아는 사회에서 만난 첫 친구로 숱한 어려움을 함께 보고 겪으면서도 감정의 동요를 느낀 적이 없다. 다른 설명이 필요 없다. 단둘이 몇 번이고 술을 마셨음에도 불구하고 아무 일도 일어나지 않았다는 사실이 이를 뒷받침한다.

명주가 메뉴를 고르기도 전에 사장님이 직접 내어준 하이볼을 들고 잔을 부딪쳤다.

"오늘?" 하면 알아듣는 여기 단골 선술집은 회사와는 얼마 떨어져 있지 않은 거리에 있다. 근처에 회사가 많음에도 불구하고 아는 사람보다 모르는 사람이 더 많다. 적어도 명주와 진아가 입사 후 숱하게 들락거리는 동안 누군가와 마주친 적이 없다. 여럿이 회식을 하기에는 부적합하다는 이유였을지 모르겠다. 애매한 위치에 조그맣게 자리 잡은 이 선술집은 다찌를 포함해 테이블을 다 합쳐봐야 열댓이 옹기종기 앉을 수 있는 크기다. 사장님도 돈을 벌자고 이 가게를 하는 것인지 궁금할 만큼 불규칙하게 가게를 닫아버리고 또 예고 없이 오픈한다. 메뉴에는 분명 있는데 안 되는 음식이 기본적으로 있고 기분이 내킨다 치면 상상도 못 할 서비스를 마음껏 베푼다. 그렇다고 손님들이 하는 얘기에 깊숙이 관여하지 않는다. 주문이 없을 때면 콧노래를 부르고 손님과 가끔 내기 체스를 두는데 단 한 번도 지는 꼴을 못 봤다. 명주 역시도 하이볼 몇 잔에 반쯤 풀린 눈으로 체스 내기 대결을 신청했다가 다섯 번을 내리졌던 기억이 있다.

아무튼 누가 그랬다. 단골이라는 것은 내가 아는 것이 아니라 사장님이 먼저 알아봐 주는 것이라고. 그런 의미에서 언제나 찾을 때면 서비스로 하이볼을 한 잔씩 건네는 거로 봐선 확실히 명주와 진아는 단골이 맞는 것 같다. 명주는 자리에 앉은지 십분도 안 돼 하이볼 석 잔을 연거푸 비워냈다.

"뭐야 왜 이래. 좀 천천히 마셔. 누가 안 뺏어가. 요즘 어때?"

"뭐 맨날 똑같지 뭐, 요즘은 그냥 특히나 더 재미가 없다."

"어떡하다 천하의 최명주가 이렇게 됐냐. 왜 우리 취업스터디 할 때도 다 떨어져서 침울해 있을 때 네가 뭐라 그랬더라. 뭐 그깟 게 대수냐고. 안돼도 그만이라고 남들 들으라는 듯이 웃어버렸잖아. 그때 뭐 이런 놈이 다 있지 하면서도 꽤 매력적이었는데 말이지."

"뭐 나라고 별수 있나."

"사명감을 가지고 일해야지!"

"응? 갑자기 무슨 얘기야?"

"우리 동기들이 힘들어할 때 네가 나무라면서 했던 얘기 아니야. 왜, 입사하고 3년 정도 됐을 때였나. 다들 생각했던 일들이 아니라며, 연봉이 안 오른다며 투덜대니까 정확히 한심하다는 표정으로 네가 잔을 이렇게 꽝 하고 내리치고는 한 말."

"그랬구나. 난 왜 그랬을까."

"왜 또 겪어보니 아니야?"

"그래 미안하다. 어렸잖아. 그땐 다시 얘기하지만 내 생각이 내 말이 다 맞는 줄로만 알았어. 대충하려는 신입사원들 보면 한심하고 저렇게 챙길 거 다 챙겨가면서 회사를 왜 다니려나 싶기도 하고."

"이제는 다르게 보인다는 거야?"

"응, 참 주제넘었던 것 같아. 그냥 꼰대 마인드였던 거지."

"이야, 멋진걸. 9년 차에 그런 걸 깨달았으면 뭐 나쁘지 않다고 본다 나는. 그리고 꼰대가 어때서? 그것도 생각의 차이지 않을까? 늘 그렇듯, 맞다 틀렸다는 없어. 그냥 서로 가치관이 다를 뿐이야. 가치관은 네가 지금 말하고 있듯이 생각하고 겪는 상황에 따라 매번 변하는 것이고. 그렇게 너무 우울할 필요도 자책할 필요도 없다고 생각해. 물론 표현의 방식은 좀 고칠 필요가 있겠지만."

"맞아. 예전 최명주와 지금 최명주는 확실히 많이 다르지."

"최명주. 너무 다그치고 몰아가지마. 넌 좀 여유가 필요해. 충분히 잘 하고 있어. 꼭 뭔가 될 필요도 없고, 누군가에게 필요한 사람이 될 의무도 없잖아. 매번 얘기하지만 넌 지금 있는 자체로 충분히 매력이 넘쳐. 주제넘었다면 미안."

"고마워. 뭔가 내가 듣고 싶었던 말을 억지로 끄집어 낸 것 같은 느낌이긴 하지만."

"또 그런다. 모두 비슷하게 그렇게 살고 있어. 너만 특별히 변했다고 생각하지 마."

"그래. 고맙다."

"언제든. 네 말대로 우린 친구잖아."

"친구야. 나는 어떤 사람일까. 어떤 사람이 되고 싶어 했을까?"

"지금까지 한 얘기 그대로 다시 들려줄까?"

"왜, 내가 가끔 얘기했던 고향 친구들 있잖아."

"응, 왜 모르니. 술만 마시면 자랑을 그렇게 하는데, 내가 이제 그 이름도 외운다. 강예슬, 황민석, 박성우, 김영훈, 맞지?"

"나중에 내가 꼭 소개해줄게!"

"그래. 그 소리도 한 백 번을 들었을 거다."

"암튼 최근에 어떤 일이 있었는데, 뭐 중요한 건 그게 아니고. 내가 그렇게나 소중하게 생각하는 우리 진아와 함께 있는데, 이 순간에 집중해야지."

"아유 말이라도 고맙다."

"진심이야, 정말 내 유일한 친구들이라고 생각했던 녀석들이 내가 알던 애들이 아니라다른 걸 느꼈어.

"무슨 소리야?"

"나도 모르게 그 녀석들에 대한 시선을 이십 년 전 그때로 줄곧 고정해놓은 거 같더라. 그렇게 머물러 있기를 바랐고, 내게도 그렇게 해주기를 바랐던 것 같아."

"야, 시간이 15년이면 정말 긴 세월이야. 학창 시절이야 무슨 매일 붙어 있으니까 많은 걸 함께 나누겠지만, 그 15년 동안 얼마나 많은 일과 만남이 일어났겠냐. 말하지 않으면 몰라. 상황이 다른데 말을 한들 온전히 그 모든 것을 공감한다. 나는 그건 거의 불가능에 가깝다고 생각하는데? 그리고 누군가에게 꼭 어떤 사람이 되어줘야 해?" 진아가 다시 한 번 명주 잘못이 아니라는 듯이 토닥였다.

"모든 것을 이해하고 공감할 수 있으면 좋을 텐데, 그게 참 어려운 것 같아."

고등학교를 졸업하고 지금까지 서로 보지 못했던 그 짧지 않은 시간 동안 각자가 자신의 위치에서 하루하루 치열하게 살아왔다. 떨어진 시간 동안 서로가 모르는, 알 수 없는 비밀들이 조금씩 그 크기를 넓힌 것이다.

지금까지와 같이 앞으로도 평생 내 편일 것 같은 착각을 하지만 우린 가끔 이 중요한 사실을 망각한다. 하긴 그런 걸 계산하지 않고 만날 수 있기에 서로를 친구로 부르고 있는 걸 테지만.

'예슬이는?'

모든 것을 고려하더라도 예슬의 경우는 달랐다. 왜곡된 시선을 덧 씌우고 판단했다. 어설픈 시선과 말들이 예슬을 숱하게 괴롭혔을 것이다.

그간 우리가 알고 지내왔던 예슬은 모든 게 거짓이었다. 그리고 그 주체는 당사자가 아닌 나였고 우리였다. 모두가 철저히 보고 싶은 모습만을 봤고 기억했으며 말을 했다.

겉으로는 부족함이 없고 모든 걸 다 가진 것 같은 부러움을 위시하고 있더라도 그건 말 그대로 겉모습일 뿐이다. 누구도 각자가 살아가는 아픔의 깊이라든지 견뎌내고 있는 처절함을 감히 알 수 없다.

제 2 장

있는 그대로의 나

21

"안녕, 늦었지 미안해."

듣는 순간 미소가 지어지는 기분 좋은 목소리. 근심과 구김살이라고는 찾아 볼 수 없는 얼굴. 어떤 수식어가 필요 없는 여전히 예쁜 예슬이다. 모두가 기다려온 예슬은 영훈에 이어 명주의 하소연으로 적막이 휘몰아치는 시점에 등장했다.

"강예슬, 어서와."

"지금 불과 몇 분 동안 엄청난 일들이 왔다 갔는데, 간단히 요약해서 얘기해줄게. 민석이가 시험을 그만 치겠데. 어, 그리고 성우는 뮤지컬을 하겠단다."

"야 정확히 얘기해야지 직장인 동호회."

"아 그리고 영훈이는 회사 회식 자리에서 왜 그 진상 팀장, 예슬이도 알지? 암튼 그 팀장에게 보기 좋게 한 방 먹이고, 직장 후배와 키스를 하셨단다. 만취해서 말이야. 그리고 지금 나는 나 스스로에게 이보다 더 화끈한 게 없을까 빨리 생각해보라고 얘기하고 있는 상황이야."

"야 됐고, 내가 이 뮤지컬을 시작으로 나중에 남우주연상 받으면, 이름 꼭 호명해줄게. 그나저나 나는 예슬이 정말 오랜만에 보는 것 같다. 우리 예슬이는 아무 일 없는 거지?" 성우가 특유의 능글맞은 웃음소리와 함께 예슬이에게 잔을 건네주면서 말했다.

"내가 오늘 여러모로 많이 늦었구나, 나 오늘 사표 던지고 오는 길이야. 그리고 성우야 왜 나는 아무 일도 없는 것이 당연하다고 생각돼? 궁금해졌다. 너희들이 생각하는 나는 어떤 사람이야?"

"이 익숙치 않은 싸늘함과 건조함 나만 느끼는 거 아니지? 강예슬, 무슨 일 있어?" 오늘 처음으로 접한 성우의 주눅 든 목소리다.

"아니. 그냥 나는 어떤 사람일까. 나는 누굴까 하는 생각을 요즘 하고 있거든, 정말이지 나는 누굴까?"

"그냥 널 보면 진짜 가정환경이 참 중요하다는 것을 곱씹게 돼." 성우가 식어가는 감자튀김을 씹어내면서 만나면 흔히 하는 소리를 꺼냈다. 불과 몇 초 전 일었던 그 서늘했던 분위기를 금세 잊어버린 듯하다.

"맞아. 왜 전혀 이해도 공감도 안되던 어른들의 말, 지금은 절실히 와닿는 것들 있잖아. 가정환경이 중요하다는 것도 그중에 하나인 것 같아."

"최명주 이거 또 예슬이가 얘기하니까 또 바로 거드는 것 봐라. 맞아 맞어. 뭣보다 여기 강예슬이 그렇게 말해주고 있으니까."

"재밌다."

"뭐야, 오늘 왜 이렇게 차가워?"

"아니 뭐, 그 뮤지컬 재밌겠다고, 나도 할래, 뭐 당분간 할 것도 없으니까 말이야"

"아 예슬이가 해준다면야 완전 땡큐지!"

"근데 예슬아, 왜 그만뒀는지 물어봐도 돼?" 성우를 제지하고 나선 명주가 조심스럽게 물었다.

"음, 일이 재미가 없어. 알아, 뚱딴지 같은거."

"나 그거 무슨 얘긴지 대충 알 수 있을 것 같아" 민석이 나섰다. 원하는 걸 하고 살고 싶은 그런 생각이 갑자기 든 건 아니냐며 물었다.

"음, 대략 비슷해."

명주는 곰곰이 예슬이의 표정을 살폈다.

"강예슬, 너 무슨 일 있지?"

"무슨 일이라고 하면 항상 있지. 맞아, 사실 나도 알고 있었어. 너희들이 나를 그렇게 생각하고 있다는 거. 알면서도 그냥 있었어. 뭐랄까 굳이 얘기하고 싶지도 않았지만, 근데 오늘은 얘기해야 할 거 같아. 나란 사람에 대해서."

무슨 이유에서인지 예슬은 이날 지금까지 버텨온 자신의 삶을 날 것 그대로 꺼내놓았다. 분명 큰 용기가 필요했을 것이다. 어쩌면 있는 그대로의 자신을 누군가에게라도 말하고 싶었을지도 모른다.

이유는 알 수 없다. 알려고 해서도 안 된다. 분명한 것은 예슬에게 무슨 일이 생겼다는 것이다. 예슬은 거기까지는 마음을 허락하지 않은 듯했다. 괜찮다. 이 만큼의 용기도 충분히 고맙다고 생각했다.

이날 예슬은 자신의 얘기를 끝마치기 무섭게 누구보다 열정적으로 어떤 뮤지컬을 할 것이며 준비와 연습은 어떻게 해낼 것인지를 구체적으로 늘어놓았다. 성우는 말할 것도 없이 모두가 예슬에게 집중했다. 아마 예슬은 이날 뮤지컬 얘기를 꺼내고 같이 하지 않을 수도 있지만, 그건 중요치 않았다.

22

시험 3개월 후, 공연 3개월 전.

"야, 우리 석 달이나 됐는데 단체 곡 하나도 못 끝냈다는 게 실화냐? 석 달이 지났다는 말인즉슨 공연까지도 석 달 밖에 남지 않았다는 말이기도 한 것을 모두 알고는 있는 거겠지. 더불어서 말하자면 각자 최소 준비해야 하는 곡이 열 곡은 된다는 것도 물론 잘 알고 있을 거야. 암 워낙 똑똑하신 분들인데 그걸 모르고 있을 리는 없어."

"박성우, 너는 그래도 경험이 있잖아. 우린 아주 다 생초보잖아, 너무 몰아가지 마."

"아, 그래 뭐 우리 명주는 해주는 것만 해도 내가 감지덕지하지. 오늘은 선생님도 못 오신다고 했으니까, 우리끼리 좀 더 맞춰봐야 할 것 같아."

"와 진짜, 사람이 이래서 좋아하는 걸 해야 한다는 거구나. 성우가 이렇게 열심히 하는 거 처음 보는 것 같아. 아 초등학교 때 축구 얘기는 수도 없이 들었지만 나는 모르는 일이니까 일단 생략."

"김영훈, 이 박성우가 한다면 한다는 거 이제 좀 알겠니. 그나저나 민석이는 오늘 왜 못 온대?"

"응, 아무래도 곧 또 한 살 더 먹으니까 민석이가 부쩍 생각이 많아지나봐. 해놓은건 없고 하니까 그렇겠지 뭐, 이해해주자."

"아 이해는 하지, 당연히 이해는 한다고. 한데 왜 하필 오늘. 바로 이 연습 날에 기분이 꿀꿀한 거냐고."

"이해는 한다며 무슨 말이 많아. 자고로 이해라 함은.."

"아 그만해. 영훈아, 명주 입 막아라. 이제 안 하는가 싶더니만 시동 거는 거 같아, 막아야 해."

"성우야, 자로고 이해라는 단어는 '그럼에도 불구하고' 모든 것을 온전히 이해할 수 있을 때 비로소 사용할 수 있다고 생각한다. 우리는 가끔 어설픈 동정과 멋진 충고를 하기 위해 이해라는 단어를 끼워 맞추려고 해. 뭣보다 어쩌면 상대방은 애초 이해를 바라지 않았을 수도 있고. 모든 관계에는 무수히 많은 입장 차이와 갈등이 존재하고 이해할 수 없는 행동과 말들이 그걸 돕고는 하지. 이건 세상에서 가장 가깝다는 부모 자식도 예외일 수 없는데 친구 사이는 오죽하겠냐 말이지. 가끔 어설프게 제삼자가 불쑥 등장해 상황을 해석하며 때로는 중재를 하려고 덤벼드는데 법적으로 술을 금지하는 행위와 같이 절대 있어서는 안 되는 행위이기도 하지."

"최명주!"

"나아가서, 상황이 어떤 아픔이나 상처와 관계됐다면 상황은 더 복잡해지지. 단언컨대 어느 누구도 상대방의 아픔의 정도를 예단하거나 재단하면 안 돼. 설사 똑같은 일을 겪었다고 해도. 아니지 세상에 똑같은 일을 겪는다는 것은 있을 수 없지. 상황이 다르고 사람이 다르니까."

"명주야, 응 내가 잘못했어."

"그래, 민석이는 지금 세상 혼자일 텐데, 우리가 이해해줘야지 누가 이해하겠냐."

"민석이도 예슬이처럼 될 수 있다고, 자꾸 그러면" 영훈이 명주와 성우의 대화를 가만히 듣고 있다가 불쑥 내뱉었다.

"강예슬, 그렇지."

"그러니까 민석이도 시간이 좀 필요할 거야, 우리가 이해해주자"

"아니, 근데 공연이."

"민석이는 자기가 한다고 했으니까 무슨 일이 있더라도 중간에 그만두고 그러진 않을 거야, 몇십 년을 보고도 모르냐."

"그래, 그건 그렇고 예슬이는 공연 못 할 수도 있을 것 같은데 대비해야 하는 거 아니야? 명주야 이건 아주 냉정하지만 더불어서 아주 현실적으로 말하는 거야."

"고맙다, 김영훈 그런 생각해줘서. 내가 이 공연을 망칠 수가 없지. 미진이에게 이미 사정 설명하고 얘기해놨어. 처음에는 진짜 집에서 쫓겨나는 줄 알았는데 어쩌겠어 모르는척 해 주는 거지 뭐. 그리스가 워낙 유명하잖아. 미진이도 해본 거래. 대본 가져다줬는데 시간 날 때마다 노래 부르고 하더라고. 예전 생각나기도 하고 좋은가 봐. 그거 보면서 또 어찌나 찡하던지. 뭐 암튼 걱정하지 마. 우리 미진이가 보통이냐? 혹시라도 정말 그럴 거 같으면 공연 전에 합만 몇 번 맞춰보면 될 거야."

"아, 다행이네, 다행이라고 얘기하는 게 맞는 건지 모르겠지만."

"그래, 다 잘 될 거야, 이 공연도 우리도."

"그럼."

"그런 의미에서 오늘 솔로곡들만 한 번씩 더 해보고, 저녁이나 먹으러 가자."

"저녁?"

"송년회 해야지, 할 건 해야지."

"누군가 약 5분 전에 공연이 석 달 밖에 안 남았느니 난리 친 거 같은데. 아 박성우, 네가 그랬지."

"야, 사람이 없는데 어떻게 그럼. 그리고 이 연말에 이 주말에 송년회를 안 한다는 것은 죄를 저지른 것과 크게 다를 바 없다고 나는 생각한다."

"뭐 이러나저러나 크게 상관없어. 공연도 너 때문에 하는 거니까."

"못된 생각을 하고 있구나? 최명주! 때문이라니, 그러면 안 된다. 그런 못되고 이기적인 생각을 하니까 예슬이가 우리에게 진심을 못 털어놓고 있었던 거라고 난 생각한다."

"거의 뭐, 대화의 주제가 부산에서 대구 건너뛰고 갑자기 서울역에서 안부 인사 나누는 격이네."

"그나저나 강예슬.. 난 정말 솔직히 아직도 잘 믿기지 않는다. 예슬이가 그 간 그렇게 살아왔다니."

"우리가 정말 반성해야 해, 우리에게라도 터놓을 수 있게 했었어야 하는 데."

23

명주는 장난기 가득한 동글동글한 얼굴에 웃음을 달고 사는 밝은 성격이 호감이다. 어렸을 적부터 적당히 나설 때와 나서지 말아야 할 때를 분간하며 항상 친구들을 곁에 뒀다. 혹시라도 또래 간 의견 충돌이나 다툼이 일어났다 치면 해결사는 늘 명주였다. 그 시절 그 나이에 생각지도 못했던 명쾌한 결론을 내놓았다. 치고받는 주먹 다툼에는 좀처럼 나서지 않았지만, 혹시라도 꼭 필요할 때면 주저 없이 나서기도 했다. 물론 그럴 때는 성우가 등장해 말끔하게 정리하기도 했다.

아침 첫 교시 종이 울리기도 전에 명주와 성우가 교실에 있는 친구들을 긁어모았다. 94년은 미국 월드컵이 있던 해다. 당시 대한민국 대표팀은 스페인, 독일 등 세계 최강팀을 상대로 선전을 펼쳤다. 이 덕분에 전국에서 축구의 열기가 하늘을 찌르고 있었다. 이날도 성우와 명주는 서로가 날쌘돌이 서정원이고 적토마 노정운이라고 소리를 지르며 팀을 나눴고 이제 막 쌀쌀해지는 날씨가 무색하게 땀을 내고 있었다. 딱히 누구에게 배워 본 적 없는 마구잡이

축구다. 오프사이드가 있을 리 없고 각종 태클이 난무한다. 누가 조금 밀친다 치면 손으로 공을 집어 들고는 소리를 고래고래 지른다. 8대 0. 분에 못 이긴 성우가 공을 운동장 바깥쪽으로 걷어찼다

"야 박성우!"

"왜?"

"뭐 하는 거야?"

"뭘, 네가 잘하는 애들 다 데려가서 재미가 없는 거잖아."

"무슨 소리야, 가위바위보 해서 팀 나눴잖아."

"아, 몰라."

그 순간 온몸을 새까맣게 칠한 자동차가 운동장 한가운데를 천천히 가로질러 섰다. 차는 우리를 살피듯 몇 초간을 멈춰 섰다. 운전석에서 TV에서나 봤을 법한 말끔한 아저씨가 내리더니 오른쪽 뒷문을 열었다. 잠시 호흡을 가다듬는 시간이 필요했을까. 이내 주먹만한 하얀 얼굴을 한 여자아이가 모습을 드러냈다. 레이스가 뒤덮인 연 분홍색 원피스는 지금 축구를 이기는 것 말고는 그 어떤 것에도 관심이 없던 명주와 성우의 눈으로도 충분히 고급스러웠다. 여자아이는 수줍음과 불안함을 머금은 표정이었고, 운전석에서 내린 아저씨의 손을 잡고 한 발 한 발 조심스럽게 내디뎠다.

"우와."

"야, 봤어?"

"누구야?"

"몰라, 처음 보는 앤데."

"차 뭐야, 정말 비싸 보여. 엄청 부자인가 봐."

"진짜 예쁘다. 서울에서 왔나 본데?"

"야, 수업 시작하겠다."

"어, 응."

"안녕, 앞으로 잘 부탁할게." 노란색 아크릴 명찰에는 강예슬이라는 이름이 적혀있다.

예슬의 인사를 향해 일제히 침묵을 지켰다. 관심을 장난으로 표현해야 하는 시절이다. 그만큼 예슬의 첫인상은 압도적이었다. 분명 웃으면서 건네온 인사인데 뭔가 부자연스러웠다. 운동장에서 예슬을 봤던 몇몇이 웅성웅성할 뿐, 나머지는 그저 Y에서는 볼 수 없었던 모습을 하고 등장한 예슬이 신기한 듯 쳐다보는 것이 전부였다.

"안녕, 난 명주야. 최명주."

"안녕."

예슬은 마침 옆자리가 비어있던 명주와 짝이 됐다. 명주는 친구들을 잘 보살펴야 한다는 아버지의 말을 핑계 삼아 예슬에게 적극적으로 다가갔다.

명주는 모든 일에 예슬을 끌어들였다. 예슬 역시도 딱히 싫은 내색은 없었다. 정말 하고 싶어서였는지 즐거웠었는지, 혹은 신기해서 한 번 해볼까 하는 호기심이었는지는 지금도 모른다.

예슬이 Y로 전학 오고 얼마 지나지 않아 명주는 사과 서리를 추진했다. 요즘에도 다 같이 모이면 꼭 꺼내는 어린 시절 레퍼토리 중 하나다. 다른게 아니라 모두의 기억으로 이날 예슬은 유독 까르륵 배를 잡고 웃어댔다.

"아버지 저 사과 서리 하고 싶어요." 학교를 마치고 온 명주가 아버지께서 집에 오기만을 기다리다 문소리가 나기 무섭게 한 첫마디다.

아버지는 뜬금없는 소리에 혀를 끌어 차고는 화장실로 발걸음을 이었다.

그대로 물러설 명주가 아니었다. 무엇보다 사과 서리는 예슬이 처음으로 무언가를 하고 싶다고 먼저 얘기 한 것이다. 반드시 해야 했다. 예슬이 아버지 무릎에 누워 들었다는 과일 서리를 꼭 한 번 하고 싶었다는 얘기를 꺼낸 것이다.

시골 과수원 근처에만 가도 사료 냄새와 벌레로 진절머리를 냈던 명주가 다짜고짜 서리를 하겠다고 졸라대니 아버지로서는 기가 찰 노릇이었다. 시대가 7, 80년대라면 문제 될 리 없다. 그 시절 아이들이 하는 서리는 이웃끼리 서로 알면서 눈감아주는, 웃고 넘기는 정거운 시골 풍경 중 하나였다. 남의 밭에 흘러 떨어진 밤이라도 하나 주웠다가 도둑으로 몰리는 요즘 같은 시기에 서리는 드라마에서나 확인해야 하는 과거일 뿐이다.

어찌됐든 자식 이기는 부모는 세월이 아무리 흐른다 한들 없을 것이다. 명주의 산수 백 점을 맞아오겠다는 절대 일어나지 않을 부르짖음은 곧 받아들여졌고, 아버지는 곧장 과수원을 하는 친구에게 전화했다.

"쉿."

"아, 근데 우리 들키면 경찰서 가는 거 아냐? 요즘에 안 된다는데."

"야, 김영훈 좀 쓸데없는 소리 하지 마, 걱정하지 말고 빨리 따, 너무 많이 하지는 말고 전부 가지고 가지도 못해."

"아, 근데 강예슬. 너는 뭐 서울애가 우리도 한 번도 못 해본 서리를 한다고 해서 이 고생을 시키냐."

"고생이라니 재밌지 않아?"

"아, 들키면 죽는다고, 이건 범죄야 범죄."

"시끄럽고, 이제 가자."

"야, 거기 누구야?!" 과수원 주인 아저씨가 적당한 시간에 맞춰 소리쳤다.

애들이 갈 테니 눈감아 달라는 부탁을 받은 아저씨가 나름 그 즐거움을 한 층 높여주기 위한 명목으로 장대 빗자루까지 휘두르며 쫓았다.

"도망쳐."

예슬은 이날 도망치는 내내 숨이 넘어갈 듯 웃어댔다. 한참을 도망치고 이 제 숨을 고르고 있는 찰나에도 그 웃음은 끊이질 않았다.

24

따뜻해야 할 가족이란 테두리 안에서의 예슬은 함께였지만 늘 혼자였다. 예슬에게 집이란 낯섦을 넘어 잔혹한 곳이었다. 줄곧 혼자 버텨 냈다. 밝고 따뜻한 가면 뒤에 숨는 법을 일찍부터 배웠다. 뼛속까지 갈기갈기 찢겨간 어 린 시절은 오로지 버티고 견디는 것만이 할 수 있는 전부였다.

'일어나서 학교 가야지.'

'빨리 밥 먹어.'

'공부해야지.'

여느 집 전쟁터를 방불케 하는 이 평범한 잔소리는커녕 대화 소리가 울리 는 법도 거의 없었다. 처음에는 세상 모든 집이, 엄마가 그런 줄 알았다. 그렇 게 스스로를 이해시켜갔고, 그 익숙해짐에 익숙해져 갔다. 모든 것이 불안한 상태로 시간만이 아무렇지 않은 듯 예슬을 더욱 차갑고 단단하게 만들었다.

그러는 동안 엄마와의 거리는 헐거워지고 닿을 수 없을 만큼 떨어져 갔다.

아빠를 집에서 보는 일은 드물었다. 잦은 출장으로 짧으면 일주일, 길게는 한 달 내내 집을 떠나 있었다. 엄마는 가끔 아빠를 따라나섰다가 아빠가 돌아오기 하루 전이면 들어오곤 했다. 예슬은 왜 굳이 따로따로 나서는지 잠시 생각했지만 궁금하지는 않았기에 누구에게도 굳이 물어보지는 않았다.

어떤 날은 평소 모습과는 다르게 허겁지겁 신발을 내 벗고 방으로 뛰어 들어가다 예슬과 마주친 적도 있었다. 예슬이 짧게 고개를 갸우뚱하는 찰나 문소리가 들렸다.

"강예슬."

"아빠!"

"응, 우리 딸, 잘 있었어? 어디 얼마나 컸나 볼까?"

"엄청 엄청 많이 컸지?"

"우와 정말 그러네, 밥 잘 먹고 있었나 보네"

"네!"

"이쁜데 착하기까지 한 우리 딸, 강예슬 누구 딸!?"

"아빠 딸! 아빠 근데 이번 크리스마스이브는 꼭 같이 보낼 거지?"

"그럼, 당연하지."

예슬은 몇 번이나 거듭 묻고 또 묻고는 고개를 돌렸다. 엄마는 방에 들어갔는지 보이지 않았다.

아빠를 싫어하고 싶지 않다.

'아빠까지 싫어한다면 나에겐 아무도 없다.'

예슬은 눈동자를 억지로 동그랗게 치켜 세운 채 소파에 걸터 앉아 있다. 자

그만 소리에도 고개를 문 쪽으로 돌렸다.

이번에도 아빠가 아닌 것을 확인하고는 입술을 삐쭉 내밀고 다시 시계를 본다. 아빠가 꼭 함께하기로 약속한 크리스마스가 이제 두 시간도 채 남지 않았다. 평소 여덟시면 곯아떨어지는 예슬이지만 지금은 조막만한 어린아이가 가질 수 있는 정신력과 간절함의 마지막 한 방울까지 쥐어짜내며 버티고 있다.

그 순간 누군가 조그만 소리라도 날까 문을 열었고 고개를 바닥까지 숙인 터덜터덜 망연자실한 표정으로 얼굴을 드러냈다.

"안 자고 있었니?" 예슬을 발견한 수진이 당황한 목소리로 물었다.

"어디 다녀오시나 봐요?" 당황했고, 실망했지만 차분한 목소리다.

"응 잠깐 친구에게 급한 일이 생겨서 다녀왔어."

이제 막 초등학교 입학을 앞둔 딸과 엄마와의 대화, 일반적으로는 흔하지 않은 풍경이지만 이 집에서는 지극히 평범한 일상이어서 이상하지 않은 풍경이 크리스마스이브 밤 에 일어나고 있었다.

밤 11시. 예슬은 뭔가 결심을 한 표정을 한 채 침대로 향했다. 그대로 침대로 몸을 던졌으며 얼굴 끝까지 이불을 덮어썼다. 기대와 믿음을 저버린 아빠에 대한 실망까지 더해진 것도 있으리라. 이 날의 일상은 예슬로 하여금 아주 큰 결심을 하게 만들었다.

'친구? 웃기시네.' 그러잖아도 아는 사람 한 명 없는 이곳에 왜 이사를 오려고 했는지 이해할 수 없었던 예슬이었다. 예슬이 아는 한 적어도 여기 이 동네에 엄마에게 친구란 없다. 평소 안부를 건네거나 우연히 마주치면 인사하는 사람조차 없다.

예슬은 이날 마음속에서 아빠와 엄마를 완전히 지워버리기로 했다. 어차피 가족이란 것이 필요했던 적도 없다. 앞으로도 그럴 것이다. 예슬은 눈물이 났다. 울고 또 울었다. 예슬은 이날 베개가 흥건해짐을 느낄 때쯤 잠들었다.

25

시간은 흘렀다. 0218. 예슬의 방 곳곳에서 어렵지 않게 발견할 수 있는 이 숫자는 고등학교 졸업식 날을 일컫는다. 예슬은 졸업식을 마치는 대로 서울로 올라갈 생각이었다.

그런데 졸업식 당일 생각지도 못한 일이 벌어졌다. 수진이 졸업식에 나타난 것이다. 수진은 이전까지는 예슬과 관련된 어떤 학교 행사에도 참석하지 않았다. 혼란스럽고도 갑작스러운 수진의 등장은 예슬이 그리고 그렸던 고등학교 졸업식 시나리오에는 없던 일이었다.

수진은 선생님들과 인사를 한 후, 예슬의 친구들과 대화를 주고받고 있었다. 지금까지 단 한 번도 본 적 없는 모습들인데 늘 그래왔던 것처럼 너무나 자연스럽다. 졸업식날에 펼쳐진 어색하지만 자연스러운 이 화면은 계속 이어졌다. 그대로 말문이 막혀버린 예슬은 알은체하지 않고 멍하니 그 모습을 바라봤다. 지금 생각해보면 예슬로서는 어쩌면 엄마의 그 모습이 썩 나쁘지 않았을 수도 있다. 아무튼 그러는 사이 엄마와 딸, 둘 간의 거리는 조금씩 좁혀지고 있었다.

"사진 한 장 찍을까?"

수진이 낮고 선명한 목소리로 예슬의 시선을 마주했다. 마주 본 얼굴에는 부드러운 미소가 번져있다. 예슬은 그대로 서서, 이날 따라 더욱 크게 느껴지는 눈동자를 깜빡일 뿐이다. 딱히 달리 이 상황에 어울리는 말이나 행동이 떠오르지도 않았다. 수진은 예슬의 눈꺼풀이 세 번 닫히고 열리기를 기다린 후 명주에게 사진기를 건넸다.

"두 분 전혀 엄마와 딸처럼 보이지 않아요. 강예슬, 아주머니 쪽으로 좀 붙어. 수석 졸업생 답게 배운대로 해야지, 사진 찍을 때는 웃는 거라고 했니 안 했니? 자 찍을게요. 스마일. 강예슬! 웃으라고! 하나, 둘, 셋!" 화들짝 놀란 예슬이 얼른 엄마의 팔짱을 풀어냈다.

"고맙구나, 친구들과 맛있는 거 사 먹으렴."

지애는 친구들과 사먹으라며 예슬의 손에 봉투를 꽉 쥐여주고는 바로 몸을 돌렸다.

"강예슬." 명주와 성우가 소리쳤다.

"야! 뭐야, 강예슬. 엄마 가는 게 그렇게 서운해? 뭘 그렇게 계속 뚫어져라 보고 있어?"

예슬은 수진이 멀어져가는 것을 계속 바라볼 뿐 여전히 아무 대답이 없다.

"예슬아, 아주머니가 돈 주고 가셨지? 야 그걸로 우리 맛있는거 먹자." 성우가 예슬이 어깨를 툭 밀쳐내며 톤을 높였다.

"응? 그래."

"야, 우리 비싼 거 먹자."

번잡스럽게 떠들어 대는 성우를 명주와 영훈이 진정시키고 있었다. 예슬은 여전히 넋이 나간 듯 친구들에 떠밀려 발걸음을 옮겨갔다. 방금 일어난 일을 곰곰이 생각하고 또 생각하고 있었다. 친구들이 앞서 옥신각신하며 걸어가는 틈을 타 아까 넣어두었던 봉투를 꺼냈다. 산타클로스와 선물 꾸러미가 새겨진 크리스마스 봉투다. 봉투 안쪽에는 글귀가 적혀있었다.

'태어나줘서 고마워, 내 딸.'

예슬은 머리가 지끈거렸다.

26

"선생님, 뭔가 잘못된 것 같아요!" 아이를 받아 든 간호사가 급히 의사에게 소리쳤다.

"무슨 얘기야?"

"숨을, 숨을 쉬지 않는 것 같아요."

아이의 얼굴이 새파랗게 변해있었다.

"됐어요, 숨이 숨이 돌아왔어요."

"악!"

"무슨 일이야?!"

"산모가, 산모가…."

"저요!"

평소 인사말도 잘 없던 수진이 계주에 나가겠다고 손을 번쩍 들었다. 국민학교 마지막 운동회, 계주는 지금도 그렇듯 그 시절에도 운동회의 마지막을 장식했다.

수진은 이번 운동회는 꼭 올 거라고 약속했던 아빠를 깜짝 놀라게 해 줄 요량이었다. 나서서 얘기한 적이 없어 알 리 없었지만 뛰는 거라면 자신 있었다.

"수진이가? 뜻밖이구나. 수진이가 달리기에 소질이 있었던가?"

고개를 끄덕였다.

"그래 그럼 경현이 지영이랑 점심시간에 한 번 뛰어보자."

오랜만의 볼거리에 허겁지겁 점심을 먹고 전부 운동장으로 모였다. 밥을 빨리 먹지 못하는 수진은 점심을 걸렀다.

"땅 하면 저기 맞은편 축구 골대까지 뛰는 거다."

'땅!'

50m 남짓한 달리기는 눈 깜빡할 새도 없이 결판이 났다.

"선생님 그럼 제가 나가는 거죠?" 반대편에서 수진이 숨을 가쁘게 몰아쉬며 소리쳤다.

마침내 운동회 날이 밝았다. 아빠는 아직 연락이 없다. 늘 하던 대로 운전기사 아저씨와 함께 차에 올랐다. 운동회마다 함께 갔던 집 아주머니가 앞 좌석에 앉아 있었다. 수진은 집에서 자기를 돌봐주는 가정부를 집 아줌마라고 부른다.

'계주는 마지막에 하니까 그때까지만 오면 다 용서해야지'

남들 눈에는 평범하지 않은, 수진으로서는 대수롭지 않은 음식들이 돗자리를 가득 메웠다. 순식간에 돗자리는 친구들로 둘러싸였고 감탄사가 난무했다.

"수진아, 나 이거 하나만 먹어봐도 돼?"

들었는지, 듣지 못했는지, 세운 무릎을 끌어안고 있던 수진은 고개를 무릎 사이로 파묻고 미동조차 하지 않았다. 무릎 사이로 보이는 노을 낀 운동장만이 계주 시간이 다가왔음을 알렸다.

"오늘은 가족과 함께하는 운동회인 만큼 아빠와 함께 손을 잡고 하는 방식으로 합니다."

특별 이벤트로 마련한 것이다. 미리 전달을 받았는지 수진을 제외한 친구들은 놀란 기색 하나 없이 아빠 손을 잡고 출발선으로 향했다. 저 멀리서 운전기사 아저씨가 허겁지겁 달려 나오는 게 보였고 수진은 그대로 얼음이 됐다. 다들 운전기사 아저씨가 아빠가 아니라는 걸 안다. 운동장을 둘러싼 모두가 수진과 기사 아저씨를 가리키며 수군대는 것 같았다. 수진은 아저씨의 손을 뿌리치고 그대로 밖으로 내달렸다.

수진은 행복했던 때를 더듬어 보면, 아빠가 무릎에 눕혀 책을 읽어주거나 옛날얘기를 해 주던 순간이다. 사실 그 순간도 어렴풋한 생일 날 딱 한 번 있었던 일이지만 수진의 반복된 회상과 상상이 착각을 불러일으켰을 테다. 서재에는 수진을 위한 작은 공간도 마련돼 있었는데 동화책부터 위인전까지 다양했다. 수진은 그날 키다리 아저씨라고 제목 지어진 글보다 그림이 많은 하드커버 그림책을 한 권 뽑아 들었다. 수진이 알고 있는 가장 키가 큰 사람은 다름 아닌 아빠다.

"아빠, 이거 아빠 이야기예요?"

"응 무슨 말이야?

"아빠, 키다리잖아요."

"허허, 그럴지도 모르겠구나, 주인공이 꿋꿋하게 성장해나가는 이야기란다, 좋은 책을 골라왔구나."

"그럼 아빠 이야기가 아닌 거예요?"

"글쎄다, 누구의 이야기도 될 수 있을 것 같은데, 수진이 같이 멋진 아이가 주인공이니까. 우리 수진이 이야기일 수도 있겠다."

"와, 진짜요? 읽어주세요!! 빨리."

수진은 이날 자신에게도 키다리아저씨가 있으면 좋겠다고 잠이 드는 순간까지도 중얼거렸다.

운동회의 상처가 아직 아물지 않은 수진이다. 자신과 기사 아저씨를 둘러싸고 수군거렸던 시선이 요즘도 가끔 꿈에 나온다. 요즘 들어 부쩍 아빠 무릎에서 책을 읽다 잠든 그날 생각이 많이 난다. 이번 생일에 아빠가 오면 전부 혼꾸멍을 내달라고 하고 책도 밤새도록 읽어 달라고 할 참이었다.

"수진아, 오늘 아버지가 회사에 정말 급한 일이 생겨서 못 오시게 됐어. 정말 미안하다고 꼭 전해달래."

생일 전날밤 기사 아저씨가 양손 가득 선물을 들고 나타났다. 선물이나 용돈, 수진에게는 전혀 중요하지 않은 것들이다.

수진은 아침부터 너무 아팠다. 열이 나는 것도 같고 체한 것도 같았다. 밥도 먹기 싫고 학교도 가기 싫었다. 순간 무슨 일이 있어도 학교는 빠지지 않겠다고 한 아빠와의 약속이 떠올랐다.

'쳇 아빠도 약속 안 지키면서서 뭐.'

학교에 가니 어떻게 알았는지 선생님과 친구들이 생일 축하한다며 선물을 가득 내밀었다. 국민학교때와는 달리 중학교 친구들은 유독 수진에게 알은체를 해 왔다. 어렸을 적부터 대부분의 시간을 혼자 보낸 수진은 혼자 책을 읽고 생각하는 것이 편했다. 누구와 친하게 지내는 것이 익숙하지 않았다. 더군다나 알은체를 해오는 친구들의 말투와 눈빛은 표현이 어려울 만큼 뭔가 과했고 불편했다. 몇몇은 왜 생일 파티에 초대해주지 않냐면서 서운하다는 얘기도 한다. 수진은 '아빠가 바빠서 올해는 오지 못했어. 그래서 생일파티 같은 건 있지도 않았어'라고 얘기를 하려다 그만뒀다. 아빠와의 생일파티에 친구들을 초대해야 하는 건가 잠시 생각했지만, 머리가 지끈거려 곧 생각을 멈췄다. 무엇보다 예슬은 지금 아프다. 어디가 아픈지 정확히 얘기는 못 하겠지만 분명히 아프다.

"수진이 쟤네 엄청 부자래."

"집에 컬러 TV도 있대. 그것도 여러 대."

"에이, 거짓말."

"아냐, 진짜야, 누가 그러던데 수진이네 집에는 화장실에도 TV가 있다던데."

"그러면 뭘 해, 수진이 쟤 살인자잖아."

"응, 무슨 얘기야?"

"수진이가 자기 엄마를 죽였대."

"그게 무슨 얘기야?" 몸이 좋지 않아 점심시간 내내 엎드려 있던 수진이 친구들이 하는 얘기를 듣고는 물었다.

"응.. 수진아 자는 거 아니었어?"

"무슨 얘기냐고, 살인자라니?"

"응.. 그게 아니라.."

"방금 너희 한 얘기 다 들었단 말이야, 무슨 얘기냐고?"

"아 그게 아니라, 우리 엄마가 수진이 너희 엄마가 너 낳다가 돌아가셨다고. 그래서 수진이 너희 아빠가 집에 안 들어 오시는 거라고."

"거짓말!!!"

수진은 그대로 소리치고 책상을 물론 눈에 보이는 모든 것들을 짚어서 던졌다.

"수진아, 무슨 일이야? 괜찮아?"

수진의 비명은 계속됐다. 뛰쳐 들어온 선생님이 수진의 어깨를 양손으로 잡고 타일렀다. 수진은 선생님에게조차도 자신을 살인자로 느끼는 눈빛을 읽었다. 무슨 일이냐고 괜찮냐고 재차 묻는 선생님 목소리에 '나는 살인자가 아니다', '나는 엄마를 죽이지 않았다', '아빠는 나를 사랑한다'고 말하고 싶었지만 말이 나오지 않았다. 전부 자신에게 손가락질하는 것 같았고 도망지고 싶었다.

경련과 함께 쓰러진 뒤 대략 한 시간이 흘렀을까. 수진은 병원에서 눈을 떴다.

'다 거짓말이다. 멍청한 친구들이 잘 모르고 하는 지어낸 얘기다. 언젠가 아빠가 그랬다. 사람들은 자신보다 더 나은 사람을 시기하는 거라고. 아빠에게 얘기해서 다 혼내주라고 할 것이다.'

하지만 다음 날, 그 다음 날에도 그날 친구들의 대화가 머릿속을 떠나지 않았다. 시간이 갈수록 점점 더 크고 선명해져 갔다.

'수진이가 엄마를 죽게 했대.'

빨리 아빠에게 있었던 일을 얘기하고 친구들을 혼 내달라고 하고 싶었지만 이번 아빠의 출장은 유독 길었다. 거짓말하는 친구들이 가득한 학교는 가기 싫었다. 그날 이후 수진은 등교를 거부했다.

'설마 아빠는 정말 그래서, 나를 자주 보러 오지 않는 걸까.' 어찌 된 일인지 이번에는 오랫동안 전화도 없다. 집 아줌마에게 물어보니 전화를 할 수 없는 나라에 있다고 한다.

수진은 학교에 가지 않은 채 집에서 아빠 연락만을 기다렸다. 친구들의 목소리는 여전히 불현듯 앵앵거리며 속삭인다. 시간이 지나면서 친구들 사이에는 그 사건이 자연스럽게 잊혀갔겠지만 수진에게는 점점 더 크게 자리 잡혀갔다.

'수진이가 엄마를 죽게 했대.'

수진은 오늘도 자다가 목을 죄는 그 소리에 잠을 깼다. 그날 이후 매일 그 목소리들이 시도 때도 없이 괴롭힌다. 집에서 어렴풋이 보이는 학교 건물의 그림자나 종소리라도 보일라치면 목이 타들어 간다. 오늘도 저 너머 보이는 학교 그림자는 달라진 것 하나 없이 그대로다. 그 목소리는 여전히 수진의 옆을 떠나지 않고 시간 없이 짓누른다. 어디든 좋다. 여기 이 목소리가 괴롭히는 공간에서 벗어나고 싶다.

그해 크리스마스, 마침내 아빠가 집에 왔다.

"아빠, 나 미워요?"

"응? 무슨 얘기야? 우리 수진이가 아빠가 너무 오랜만에 와서 화가 많이 났구나. 미안해. 이번에 새로 시작하는 사업 때문에 그랬어. 이해해줄 수 있지?"

"아빠, 나 때문에 엄마가 돌아가신 거예요? 그래서 저 미워하시는 거죠?"

"아니야, 수진아 누가 그런 얘기를 하니?"

"다들 그렇게 얘기해요, 아빠 정말 그래요?"

"아니야, 수진아. 아빠는 우리 딸을 세상 누구보다 사랑한단다. 이번 사업만 잘되면 아빠가 수진이 옆에 늘 함께 있을게, 자 약속."

"아빠, 엄마를 많이 사랑했어요?"

"응? 당연하지."

"……."

"아빠에게 지금 가장 소중한 사람은 수진이야."

'거짓말.'

"엄마하고는 어떻게 만났어요?"

"우리 딸, 엄마가 많이 궁금하구나."

"응, 전부터 항상 궁금했었는데 아빠가 엄마 얘기를 싫어하잖아요. 알고 싶어요. 엄마가 어떤 분이셨는지."

수진은 엄마를 사진으로도 본 적이 없다. 세상에서 가장 사랑하는 아빠가 얘기를 꺼내는 것조차 싫어했기 때문이다.

"엄마는 수진이처럼 이쁘고 착한 여자였어. 웃는 게 정말 예쁜. 처음 봤을 때부터 정말 세상에 천사가 있다면 딱 이렇겠다고 하고 생각했지, 아 물론 우리 수진이 하고는 비교할 수 없지만 말이야."

"그런데 왜 지금까지 엄마 얘기를 한 번도 해주지 않으셨어요?"

"그건 말이다. 아빠가 엄마가 생각나는 게 너무 괴로워서 그래."

"사람들이 나를 보고 엄마를 쏙 빼닮았다고 하는데, 아빠 수진이 보면 엄마 생각나서 자주 보러 안 오는 거죠?

"무슨 말이니? 아니야, 수진아. 그런 말도 안 되는…."

"거짓말하지 마!"

수진이 듣기 싫다는 듯 귀를 두 손으로 막고 소리쳤다. 지난 생일날 학교에서보다 더 큰 울부짖음이 한참 동안 계속됐다.

"수진아…."

수진은 그날 이후 꼭 필요한 말을 제외하고는 입을 열지 않았다. 심각성을 깨달은 아빠는 꽤나 오랫동안 집에 머물렀다. 집에 있으면서도 줄곧 회사 일로 바빴지만 틈나는 대로 수진을 살폈다. 이제는 완전히 대화를 끊어버린 후 도무지 목소리를 내지 않는 수진이 걱정돼 이러 저리 노력했지만 좀처럼 입을 열지 않았다. 원인을 알 수 없으니 답답할 뿐이다. 유명하다는 정신상담 병원도 찾았다.

"좀처럼 얘기를 하지 않으려니 저희로서도 알 길이없네요." 잘나가는 사업가로 텔레비전이나 신문에서 쉽게 볼 수 있는 수진의 아버지를 알아본 의사 선생님은 조심스럽게 얘기를 꺼냈다.

"방법이 전혀 없는 걸까요? 추측 가는 것도 없는 것이지요?"

"어느 순간부터 대화를 거부했다는 것은 분명 어떤 사건이나 계기가 있었을 텐데요. 그걸 알아야지 풀어나갈 수 있을 텐데, 본인이 얘기 자체를 하지 않으니 답답할 따름입니다." 순간 의사는 자신이 단어를 잘못 골랐다는 것을 눈치채고는 다시 말을 덧붙였다.

"죄송합니다. 지금 누구보다 답답할 사람은 아버님일 텐데요."

"특별한 사건이 없었다면 환경을 바꿔보는 것은 어떨까요?"

"환경이요?"

"네, 지금 살고 있는 집이라든가 학교라든가 아버님이 아는한 수진은 집과 학교 외에 다니는 곳이 없고 딱히 크게 어울리는 친구가 없다고 하셨지요."

"네, 그렇습니다만."

"특히 계기가 될 만한 사건도 없었다고 하셨으니, 환경을 바꿔보는 것은 어떨까 하는 생각을 해봤습니다. 지금 사는 곳에서 스트레스를 받고 있는 지도 모르겠고요" 확신이라고는 찾아볼 수 없는 눈빛과 말투다. 수진의 아버지 앞에서 그럴싸한 어떤 답이라도 꺼내 놓지 않으면 안 될 것 같아 급히 맞춰낸 말이다.

'환경을 바꿔봐라.'

정부 지원까지 받아 준비한 해외 사업 쪽에 문제가 생겨 몇 년 동안 쌓인 적자가 눈덩이처럼 불어나고 있었다. 이대로라면 기업 전체가 흔들릴 지경이다. 곧 문제를 해결하기 위해 미국으로 가야 했다.

"수진아, 혹시 아빠, 엄마 고향인 Y로 이사 가지 않을래?"

'아빠 엄마가 만난 곳'

수진은 고개를 끄덕였다.

27

"최명주, 너 얼마 전에 승현이 봤더라? 걔가 걔 맞지? 가끔 말하던 대학교 친구?"

"맞아. 근데 그걸 네가 어떻게 알아?"

"어찌 알긴 어찌 알아 형이 요즘 인터넷이란 걸 시작했다고 하지 않니. 인스타니, 페이스북이니 하는 것도 다 가입을 했어."

"야 진짜 내가 이제 눈을 감아도 되겠다. 박성우가 SNS를 하다니, 맞다, 너 조심해 근데 거기 게시글 올리면 댓글 달리고 그러잖아."

"응."

"댓글 하나 달릴 때마다 1달러씩 네가 내야 해."

"아 그래?"

"응, 너 글 올렸어? 댓글 얼마나 달렸는데? 1달러면 천 원이야, 적은 돈이 아니라고. 그거 또 바로바로 댓글에 답글 안 달아주면 추가 비용 지불해야해,

일종의 벌금 같은 개념이지" 옆에서 가만히 듣고 있던 영훈이 참지 못하고 킥킥 웃음을 터뜨렸다. 명주가 성우를 자주 놀려먹는 레퍼토리다.

"아놔 진짜. 누굴 뭐로 보고.".

"뭘 뭐로 봐? 진짜 믿었으면서."

"암튼 승현이가 네 옆 모습과 함께 '나의 베스트프렌드' 하면서 올렸더만. 너의 베스트 프렌드는 잘 지내고 있니?"

"오~ 베스트 프렌드."

"정말 하나도 안변하고 똑~~같더라. 예전하고 변하게 정말 하나도 없이 그렇게 잘 지내고 있더이다."

명주는 어제 승현을 만났다. 승현은 편하게 친구라고 연락하는 사람이 거의 없다. 명주가 유일할 수 있다. 적어도 명주가 아는 한 그렇다.

승현은 태어날 때 눈치라는 것을 엄마 뱃속에 두고 나온 것임이 틀림없다. 탯줄과 함께 싹둑 잘려 나갔을 수 있다. 어찌 됐든 승현 본인은 살아가는 데 있어 어떤 불편함도 느끼지 못하는 것 같다. 흔히 이럴 경우 주변 사람들이 오히려 불편하고 가끔은 부끄럽기 마련이다.

송년회 겸 보자고 온 연락을 몇 번을 미루고 또 다음을 기약했다. 이쯤 되면 눈치를 채던지 자존심이 상해서라도 그만 둘 만하다. 보통 사람이면 분명 그랬을 것이다. 승현은 달랐다. 명주는 승현과의 2017년 송년회를 2018년에 하기 위해 어제 집을 나섰다.

명주는 대학교 개강 전부터 신입생이 관여된 모든 모임에 참석했다. 모임마다 이어진 술자리에서, 남들 다 혀 꾸부러지는 소리를 낼 때 혼자만 멀쩡한 것을 여러 차례 경험했다. 스스로 주량을 확인한 명주는 더욱더 적극적이고 전투적으로 이곳저곳을 휘저으며 존재감을 드러냈다.

개강 후 다들 조심스럽게 삼삼오오 자기 무리를 만들고 찾아갈 때쯤 매번 승현은 혼자였다. 이미 몇 번의 시행착오를 경험하고 제 친구를 갖춘 명주지만 돌아볼 때마다 떨어져 있는 승현이 왠지 신경 쓰였다. 학창 시절 오로지 공부와 딱 제 친구들을 제외하고는 혼자 잘난 듯 단절된, 그렇게 비쳐 손가락질받던 황민석이 떠올랐다.

학창시절 민석은 누가 대화라도 건네면 모르는 척 지나치기 일쑤였다. 실제로는 혼자 생각이 많아 듣지 못했던 경우가 대부분이었지만 말하지 않으니 알 길이 없던 친구들은 오해할 수 밖에 없었을 것이다. 초등학교 때까지는 다들 그런 듯 넘겼지만, 문제는 중학생이 되고서부터였다.

새로운 집단을 맞이하면 대게 그 안에서는 묘한 신경전과 함께 각자 무리를 형성한다. 나이와 성별을 떠나 공통적으로 일어나는 풍경이다. 특히 남자들 사이에서 좀 더 복잡하게 이뤄지곤 하는데, 원래부터 알던 친구들이 그대로 이어지기도 하고 새롭게 어울린 친구로 확장되는 경우도 있다.

보통 새로운 만남일 경우, 좋았던 첫 인상만으로 다가선 관계가 끝까지 이어지는 경우가 드물긴 하다. 처음엔 서로 좋은 모습만을 노출하고 보기 때문에 일정 시간이 지난 후 삐걱거릴 확률이 높기 때문이다. 몇 번의 우여곡절 끝에 서로가 서로를 알아보고 각자 그 집단에서 어울려 지낼 무리를 확보한다.

중학생이 된 몇 달 사이 벌써 열 번이 넘는 싸움이 있었고 서로가 서로를 알아보는 과정이 반복됐다. 각기 다른 반에 배정된 명주, 영훈, 성우는 금세 새로운 친구들을 만들었고, 그들과 어울리는 시간을 늘려갔다. 다만, 민석은 그러는 것에 전혀 관심 없었다. 모든 것이 다른 세상에서 벌어지고 있는 것처럼 쉬는 시간에도 혼자 가만히 책을 읽거나 부족한 잠을 잘 뿐이었다.

"야, 명주야, 너 황민석하고 친하다고 했지?"

"응, 걔가 날 친하다고 생각하는진 모르겠는데 일단 적어도 난 그래, 근데 그건 왜 물어?"

"걔, 반에서 따돌림 당하는 것 같은데, 친구라는 놈이 뭐 하냐, 신경 좀 써."

명주는 그제야 아차 싶었다. 그 지랄맞은 성격이면 분명 일이 있어도 몇 번은 있어야 했다. 반 친구들은 민석에게 대화를 거는 일도 없고 점심도 혼자 먹게 했다. 문제는 그런 것에 아랑곳할 민석이 아니라는 것이다. 명주가 아는 민석은 자기를 혼자 내버려 두고 신경 쓰지 않는 것을 더 좋아하면 좋아했지 괴로워할 타입이 아니다. 몇몇은 민석의 그런 행동에 더 뒤틀려 행위를 가하는 단계로까지 가고 있었다.

명주는 점심을 먹고 바로 성우와 영훈을 불렀다. 성우가 가만두지 않겠다는 걸 억지로 뜯어말리고 쉬는 시간이든 점심시간이든 시간이 될 때마다 민석에게 가보기로 했다. 명주와 영훈은 몰라도 성우는 싸움으로 초등학교 때부터 유명했다. 중학교 올라와서도 이미 다툼에 몇 번 휘말렸고 자신의 입지를 확실히 구축했다.

확실히 어릴수록 같이 다니는 무리가 어떠냐에 따라 그 사람을 대하는 것이 달라지곤 한다. 크면서 취미가 어떤 것이냐에 따라, 어떤 차를 몰고 어디에 살고 있느냐에 따라 그 사람을 판단하고 짐작하는 것과 대략 비슷한 행태일 수 있겠다.

명주는 승현을 볼 때마다 학창 시절 민석을 보는 것 같아 먼저 다가갔다.

승현은 만나고 십 분만 흘러도 어딘지 모르게 피곤함을 느끼게 하는 부류 중에서도 아마 가장 높은 위치에 있을 녀석이다. 말이 많은 것은 차치하고서라도 확실히 전체적으로 과한 느낌이다. 어떤 주제가 나와도 본인과 연결한다. 모든 대화가 자랑으로 귀결되는 것은 기본이다. 굳이 자랑할 것도 아닌데 대단한 것 마냥 열변을 쏟아낸다. 자존감이라는 고귀한 분야로 접근하고 해석하는 편이 차라리 속 편하다. 승현이 사람은 그렇게 나쁘지 않으니까 말이다. 하긴 세상에 나쁜 사람이 어디 있겠는가. 나와 맞지 않을 뿐이다.

사람은 누구나 본인에게는 관대하다. 적지 않은 사람들이 내가 하는 말과 행동에는 정당한 이유가 있으며, 그 이유는 상대방의 의사와 상관없이 누구나 이해해야 하는것으로 생각한다. 또한, 누구나 칭찬을 받고 싶어하고 적당한 시샘을 즐긴다. 부러운 시선과 시샘을 칭찬으로 받아들여 열심히 하는 이상적인 상황도 있다. 그렇지만 모든 것에는 정도라는 것이 있다. 불편함과 어색함은 그 정도라는 것이 넘치게 되면서부터 찾아온다. 친하고 그렇지 않고의 문제가 아니다. 흔히 말하는 둘이 죽고 못 사는 관계라고 할지라도 함께 있을 때마다 괴롭다면 그 만남은 지속할 수가 없다. 억지로 지속된다 한들 곪고 곪아 언젠가는 터질 가능성이 아주 높다. 반드시 그럴 것이다.

명주는 승현과의 첫인사를 지금도 정확히 기억한다. 승현은 명주를 무척 반기며 자기소개를 장황하게 늘어놓았다. 약 십 분 만에 명주는 승현의 가족 관계, 취미, 그리고 아버지가 최근에 시골에 사놓은 땅에 골프장이 들어서 큰돈을 벌었다는 것까지 알게 됐다. 명주가 한 것이라고는 옆에 앉아 '안녕'이라는 말 한마디였다.

'쉽지 않네.' 명주는 속으로 말을 삼켰다.

명주는 승현이 부담스럽긴 했지만 계속 겹쳐지는 민석이 때문이라도 알은 체를 하며 어울렸다. 처음에는 다른 친구들도 함께했지만 단 몇 번의 만남만에 승현이 함께 있노라면 저마다 없던 약속들이 생겨났다. 승현과 밥을 먹거나 간혹 술이라도 마실 때면 자연히 둘이 있게 되는 경우가 많았다.

돌이켜 생각해보면 안쓰러운 것도 있었지만 사람에 대한 호기심이 많은 명주다. 승현이 어떤 인물인지 궁금했던 것도 작용했다.

'나는 남들과 다르다.'

'나는 모두를 끌어안는다.'

명주 스스로도 또 알 수 없는 영웅 심리가 발동했던 것도 있었다. 멋있게멋있게 보일 수 있겠다고 생각했을 수 있다. 그렇게 명주가 호기심 반으로 적당히 다가가는 시간 동안 승현에게 명주는 둘도 없는 친구가 됐다.

오늘도 우리의 승현은 자랑을 한다. 왜 자랑하는 것인지 모르겠으나 자랑을 하고 있다. 눈치를 보자 하니 승현이 스스로도 이러면 안 된다는 걸 알고 있으면서, 참다 참다 결국 입 밖으로 꺼내는 것 같긴 하다. 그래야 살 것 같을 거니까. 삼십 분이 지났다. 그래도 오랜만에 본 터라 처음 몇 분은 나름 반가웠지만 생각이 잘못되었다는 것을 깨닫기까지 그리 오랜 시간이 걸리지 않았다. 스스로 안된다는 걸 알긴. 개뿔 그런 거 없다. 그냥 구제 불능이다. 세상에는 원래 나쁜 사람이 있다. 그리고 하필 그런 애와 지금 연말 저녁을 보내고 있다. 더 소름 끼치는 것은 아직 최소 몇 시간은 더 있어야 헤어질 수 있다는 사실이다.

승현은 한 달 전 스카우트 제의를 받아 연봉 두 배를 올려 이직했다. 개인 세무사도 붙여주고 아파트도 무료 임대로 지원해 준다고 한다. 호응을 해주니 군이 맞는지 틀린 지 확인해 볼 생각조차 들지 않는 과연 가능하기는 할까 수준의 엄청난 복지혜택들을 장황하게 덧붙였다. 최근에는 투자 목적으로 사들인 아파트도 몇억이 올랐다고 한다. 도저히 더는 못 들어주겠다. 머릿속에는 이미 어제 배달 시켜 반쯤 덜어 냉동실에 넣어둔 양념 오리와 위스키 한 잔 생각밖에 없다. 어서 빨리 대화를 끊어낼 적절한 타이밍이 오길 기다린다.

맥주 딱 한 잔 만 더하자고 가자는 걸 온갖 핑계를 가져다가 최선을 다해 보냈다. 두 시간 동안 세상에서 가장 지루하고 어렵고 복잡한 시험을 치고 면접을 본다고 해도 이보다 더 진이 빠지진 않을 것이다. 할 수 있는 최대한 빠른 방법으로 집에 들어섰고 대충 몸에 물을 끼얹고 옷을 갈아입었다. 승현과 함께 있는 내내 생각했던 위스키를 꺼냈다. 얼음이 있으면 더 좋았겠지만 이걸로도 충분하다. 길게 한 모금 들이켜니 천국이 따로 없다.

두 잔째를 비워내면서 기분이 별로다. 마음이 편치 않다. 승현의 수다가 비교할 상대가 없을 만큼 상당하다는 것을 몰랐던 것도 아니다. 그냥 들어주기만 했으면 됐는데, 그게 어려웠나 보다. 명주는 승현을 그냥 축하하고 계속 들어 줄 수 없었던 자신이 너무 별로라는 생각이 들었다. 좀 더 솔직하게 말해 명주는 승현을 향해 일었던 삐딱한 시샘을 인정했다.

하긴, 무슨일이든 자기 일 마냥 진심으로 축하해줄 수 있는 사람이 그렇게나 많진 않을것이다. 뭐 따지고 보면 진심으로 잘 됐으면 하는 것도 사실일 수 있다. 하지만 안타깝게도 그 잘 되는 정도가 상당 부분 차이가 난다면 거부감이 고개를 들것이다. 아주 많이 말고 적당히 잘되고, 그렇다고 아주 많이 말고 적당히 못되면 딱 이상적이다. 이것이 심리학적으로 인문학적으로 어떻게 표현되고 어떤 논리인지는 알진 못한다.

쓸쓸한 기분을 지우지 못한채 결국 마지막 잔을 채우던 명주는 얼마 전 부모님과의 말다툼까지 떠올라 괜시리 더 먹먹해졌다. 기승 전 결혼 얘기. 친척 결혼식으로 올라오신 부모님이 왜 그런 말과 걱정을 하시는지 항상 머리로는 이해한다. 말대꾸하지 말아야지 그냥 넘겨야지 하면서 결국엔 안된다. 온갖 핑계와 정당성을 들고 이유를 설명하기 시작한다. 이유가 필요없는 대화에 이유를 설명하고 있으니 대화가 될 리 없다. 부모님의 입에서는 아직 한참을 어리다고 네가 자식 낳아보면 알게 될 거라는 말이 나온다. 명주는 말을 듣지 않을 것을 잘 알면서 왜 계속 얘기하느냐고 되지도 않는 말로 되받아친다. 결국엔 목소리가 커진다. 예전 같았으면 심하게 혼날 일이지만 부모님은 못 들은 체 눈을 감는다. 보내드리고 나서, 또 후회한다.

'왜 그랬을까 언젠가는 적절하게 얘기를 꺼내고 모든 걸 이해하는 순간이 오긴 할까?' 항상 그땐 몰랐던 것을 후회하고 반복하고 또 후회한다. 서른다섯, 여전히 모르는 것들이 너무나도 많다.

28

"결혼 준비는 잘 돼가고 있어? 그러고 보니 오늘 제수씨는 안 왔네. 싸운 건 아니지?

영훈은 요즘 결혼 준비에 한창이다. 불과 몇 개월 전까지만 해도 영훈에게 결혼은 상상 속에서도 일어나지 않을 일이었지만 회식 날 이후 둘은 급속도로 가까워졌다.

은정은 결국 정규직 전환이 안 됐다. 영훈은 은정을 위로한다는 그럴싸한 핑계를 전면에 두고 매일을 만났고 자연스럽게 연인 관계로 발전했다. 새벽까지 야근하는 경우가 많았지만, 시간은 전혀 문제 되지 않았다. 새벽 한시든 두 시든 아랑곳하지 않고 은정을 찾아갔다. 영훈 스스로도 자신과는 관계가 없으리라 생각했던 사랑에 대한 본인의 열정에 가끔 놀랄 정도였다. 뭣보다 영훈은 은정을 알아갈수록 놓치고 싶지 않았다. 은정보다 더 좋은 사람은 둘째 치고 그 어떤 누군가가 자신을 이렇게 좋아하는 신기한 일이 일어나진 않을 것이다.

은정은 빨리 결혼하고 싶었다. 혼자 보내는 서울 생활에서의 외로움과 비정규직 속에서의 불안과 좌절이 그 마음을 더 키웠다. 가끔 TV 드라마에서 달콤한 신혼부부 얘기가 나오면 당장이라도 결혼식을 올리고 싶은 마음이었다.

유독 영훈에게 눈길이 갔다. 비록 나이 차이는 꽤 있지만 따뜻함이 느껴졌다. 늘 뒤에서 조용히 도움을 줬던 것도 영훈뿐이었다. 정식으로 만남을 가지고 나서부터 더 알게 된 영훈은 은정이 생각했던 것보다 훨씬 좋은 사람이다.

무엇보다 자신만 바라봐주는 영훈이라면 후회하지 않겠다는 확신이 들었다. 언제 누구 입에서 결혼 얘기가 나왔는지는 정확하지 않다. 여느 때처럼 데이트를 마치고 서로를 보내기 아쉬운 마음에 '우리 결혼할까?'라는 말이 시작이었던 것 같다.

영훈은 함께 있을 때 느껴지는 심장소리가 하루가 다르게 선명했다. 평생 내 편이 되어준다는 은정에게 남부럽지 않은 남편이 되고 싶은 생각으로 가득했다. 영훈으로서는 처음 느껴보는 감정이다. 결혼 준비는 일사천리로 진행됐다. 양가에 서둘러 인사드리고 상견례 날짜를 잡았다. 혼수니, 예단이니 하는 것들은 일제히 생략하기로 했다. 데이트하듯 함께 식장을 고르고 드레스를 보러 다녔다. 출발은 모든 것이 늘 그렇듯 즐거웠고 순조로웠다. 영훈은 나름대로 어렸을 적부터 풍족하진 않았지만 하고 싶은 것을 하지 못했던 기억은 크게 없었다. 물론, 하고 싶었던 것과 가지고 싶었던 것이 그리 많지 않았을 수 있겠다. 미리 마음속 기준을 그어놓고 그 이상은 스스로 바라지 않았는지도 모른다. 지금 회사에서의 위치나 제자리에서 맴도는 월급의 씁쓸함도 구태여 의심하지 않고 받아들였다. 적어도 결혼을 준비하기 전까지는 그랬다.

아무래도 집이 문제였다. 잠시 매매를 생각도 해봤지만, 부동산 나들이 첫날에 그 호기로운 생각은 완벽히 부러졌다. 곧 떨어진다는 집값은 솟구쳐 올라 쳐다볼 수도 없는 지경이 됐다. 전세라도 좋은 집에서 시작하고 싶었지만, 그것 또한 여의치 않다.

시간이 지날수록 작아지는 느낌이다. 점점 서울 중심부에서 멀어져 가고 평수는 좁아졌다.

단돈 1만 원이라도 아쉬운 상황이다. 손해 보고 피해 보는 것에 부쩍 민감해졌다. 지키려는 것이 늘어날수록 미래가 불확실할수록 더해지는 것 같다. 어떻게든 해결책을 찾으려는 성격의 영훈이지만 이건 본인이 어떻게 열심히 노력한다고 될 수 있는 성질의 것이 아니었다. 불안하고 조급한 마음은 일상생활 전반에 영향을 끼쳐갔다.

"김영훈 집 살 생각하지 마. 아니, 솔직히 집 못 사, 부부합산 그것도 걸리지 않아?"

'뭐 다행이라고 얘기해야 하는지 그 부부합산 연봉 상한선에 나는 해당하지 않아 대출을 받을 순 있긴 하다.'

"내가 지금 집을 살 생각을 조금이라도 할 거로 생각하고 물어보는 거니."

'네가 집을 살 생각을 했는지 궁금하지 않아. 내가 일생에 있어서 가장 큰 고민을 진지하게 털어놓는 거야. 내가 지금 집 때문에 고민을 얘기하고 있는 거라고.'

"야, 저 경기도 쪽에 좋은데 많더구먼, 거기로 가."

'그게 집 근처 편의점에 가서 컵라면 고르듯 쉬운 거라면 내가 지금 이러고 있겠니?'

영훈이 어렵게 꺼낸 얘기는 고민이라고는 1초도 담기지 않은 대답과 함께 안줏거리 마냥 이리저리 치였다.

"이래서 얘기하는 게 아니었는데, 그런 어설픈 조언을 들으려고 힘들게 꺼낸 얘기가 아니었다고. 그리고 내가 먼저 얘기했냐, 너희들이 물어봐서 대답한 거잖아. 그럼 적어도 진지하게 듣고 고민하는 척이라도 해야 하지 않아? 그런 지나가는 사람에게 참견하듯 툭툭 어설픈 조언 꺼내지 말라고, 난 정말이지 지금 살면서 가장 큰 도전을 받고 있는 상황이라고."

"뭐야, 이거 왜 이래?" 명주는 당황해서 영훈을 빤히 보았다.

"됐어, 말을 말자."

사람은 누구나 본인이 직간접적으로 겪고 있는 것에 관심을 가지기 마련이다. 자신의 위치에서 세상을 바라보는 것이다. 여기서 관계의 친밀함은 중요치 않다. 한 사람이 주제를 양보하지 않으면 대화는 이어나가지 못한다. 영훈이 인생에 있어서 가장 중요하다는 결혼을 준비하면서 겪는 일련의 과정들은 명주로서는 전혀 이해하지도 이해할 수도 없는 영역이다. 결혼을 준비하며 한없이 작아지고 초라함을 느끼고 있는 영훈 역시도 예전이었으면 그냥 넘어갈 것들도 이제는 넘어가지지 않는다.

영훈은 결혼은 현실이고, 현실을 직시해야 한다는 받아들이기 싫은 사실을 스스로 되뇌었다. 냉정하게 서울에 집을 장만하기에는 턱없이 모자랐다. 행복하게 해줄 거라고 큰 소리를 냈지만, 정작 작아지기만 하는 자신의 모습이 죽을 만치 싫었다. 생각 같아서는 지금 사는 원룸에 몇 년만 같이 살자고, 돈을 좀 모아서 훗날 좋은 곳으로 이사 가자고 하고 싶었다. 은정이라면 이해해 줄 것도 같았다.

29

내게 뭔가를 기대하는 사람은 없다.

이제 더는 잃을 것도 없다.

어차피 나빠질 것도 없다.

하고 싶은 일을 찾고 그렇게 살겠다고 몇 번이고 되뇌고 다짐한다.

'내가 원하는 삶은 어떤 것일까?'

민석은 지금껏 한 번도 진지하게 생각해 본 적 없는 질문 앞에 적잖이 당황하는 시기를 보내고 있다.

'잘 될 거야, 잘 될 거야.'

민석은 시간이 날 때마다 다양한 상상을 한다. 시험을 준비하면서 가지게 된 습관이다. 어떤 날은 하루 온종일 순조롭게 펼쳐질 미래를 머릿속으로 그려낸다. 상상 속에서는 모든 게 장밋빛이다. 예전에는 상상하는 것에 그쳤지만 어느 순간에서부터인가 저도 모르게 상상하는 많은 것들을 혼잣말로 중얼거린다.

'여보세요. 아니 그게 아니라.'

뒤늦게 주변에 누군가 있는 것을 발견하면 마치 통화를 하는 마냥 연기를 한다. 누가 봐도 어색하다. 따지고 보면 남들은 혼잣말을 하면서 지나쳐가는 지극히 평범하게 생겨먹은 민석에게 큰 관심을 가지지 않을 것이다. 요즘에는 뭐든지 그냥 도움이 된다는 쪽으로 마음먹고 있다. 더 나빠질 것도 없으니 좋은 쪽으로 해석해버리고 만다. 누구를 특정해 욕하는 것도 아닐진대 그리 나쁜 것도 아니지 않는가.

비워야 채워진다고 했다. 당분간 아무 생각도 하지 않을 것이다. 민석은 잠시 쉬어가자고 생각하니 요즘같이 머리가 깨끗한 적이 또 있었나 싶다. 당연하게 여겼던 불면증도 떠나갔다.

이날도 평소 자주 가는 동네 커피숍을 찾아 책을 꺼내 읽었다. 유명 프랜차이즈 커피와는 비교할 수 없을 만큼 저렴하다. 어차피 커피 맛은 잘 모른다.

누군가 문을 열고 들어오는 소리에 무의식적으로 고개를 들었다. 어디서 본 듯한 얼굴이다. 항상 앞자리 어딘가에서 있는 듯 없는 듯 조용했던 이름도 가물가물한 고등학교 친구. 한참을 골똘히 생각해서야 이름이 생각났다.

정재영.

명주나 성우라면 '이게 얼마만이야. 하나도 안 변했네. 반갑다?' 하는 인사가 나왔을 것이다.

이어 악수와 함께 안부 인사를 좀 더 나누고는 술 한잔 꼭 하자며 의미 없는 다음을 기약했을 것이다. 워낙 붙임성 없고 그쪽으로는 재주가 없는 민석은 막상 오랜만에 뜻밖의 장소에서 보니 반가운 마음도 일었지만 아는 체가 쉽게 되지는 않는다.

'나를 봤나?'

'내가 본 걸 봤을 텐데. 내가 모르는 척한다고 생각하진 않겠지?'

잠깐의 순간만 참으면 오늘 이 장면은 기억 속에서 곧 사라지리라 생각한다. 이왕 이렇게 된 거 모르는 척 지나갔으면 하는 바람과 함께 읽고 있던 책에 눈을 고정시킨다.

"황민석. 민석이 맞지?"

모른 척 지나갔으면 하는 부르짖음이 허투루 돌아간 것에 대한 실망과 반가움이 담긴 복잡한 얼굴로 고개를 돌렸다. 그래도 학창시절 몇 년을 같이 지낸 친구다. 오늘 당장 책에서 읽었던 사람의 관계가 그렇게 무 베듯이 단칼에 잘리는 것이 아니라는 문구가 머리에 스쳤다. 처음 발견했을 때 일었던 우연한 반가움을 끄집어내며 인사라도 하고자 마음먹었다.

"어, 재영이 맞지? 반가워, 여기 사는 거야?"

인사를 하고 안부를 전했다. 꾸역꾸역 대화를 덧붙여 나갔다. 대화가 길어질수록 재영은 민석에게 그리 좋은 기억을 가지고 있지 않은 듯한 느낌이다. 그제까지 굳이 누구에게 상처를 주는 사람은 아니었다고 스스로 생각한 민석으로서는 다소 의뭉스러웠다.

민석은 학창 시절 누가 말을 건네와도 그냥 못들은 체 지나치는 경우가 많았다. 그것이 딱히 누군가에게 상처를 주기 위한 의도는 아니었다지만 상대방의 입장으로는 오해하기에 충분했다. 있는 듯 없는 듯, 성적도 운동도 적당히 잘하고 적당히 못하는 아이였다면 문제 될 리 없었겠지만, 민석은 그렇지 않았다. 학창 시절 내내 예슬과 전교 1, 2등을 다퉜던 민석은 재영에게 부러움의 대상이었다. 가끔 수학 문제라도 묻기 위해 다가가면 들은 체도 않았던 민석에 대한 감정은 확실히 좋은 쪽보다는 나쁜 쪽에 가까웠을 것이다. 학창 시절 어느 누구를 불러 세워도 민석보다 재영의 손을 들어줄 것이다. 이것만 큼은 의심의 여지가 없다.

"근데 너 요즘 뭐 하고 지내냐?"

공인중개사가 된 재영이 부동산으로 크게 성공했다는 소식이 쓸데없이 뇌리를 스쳤다.

"그냥 공무원 준비하다가 지금은 쉬고 있어."

민석은 숨길 것도 과장할 것도 없이 있는 그대로 현재 자신의 모습을 전했다.

"흠, 이거 뜻밖인데? 난 네가 어디 판검사나 의사 정도는 하고 있을 줄 알았는데 말이야. 좀 실망이야."

비아냥과 조롱이 가득 담긴 표정과 목소리에 요근래 편안했던 마음들이 마구 헤집어지는 느낌이 들었다. 잘해나가고 있는 상황에서야 이런 얘기든 저런 얘기든 아무렇지 않게 넘기겠지만, 까마득한 곳에 가로막혀 있는 민석으로서는 전혀 아무렇지 않다. 화를 내볼까도 생각했지만 부질없는 짓이겠다.

민석은 몇 달 전 시험을 그만두라는 명주의 말에 도망치듯 빠져나온 것을 재현했다. 인사를 하고 나왔는지도 정확지 않다. 급하게 문을 열고 나와 걷고 또 걸었다. 민석이 기억하는 재영은 자신이 드러나지 않길 바라는 착하고 조용한 아이였다. 세월에 따라 변한 것일까 아님 왜곡된 기억일까 생각해 봤지만, 같은 반이었다는 것 말고는 생각나는 것이 없다. 나중에 명주에게 들어 알게된 사실이지만 민석은 재영이와 고등학교 3년 내내 같은 반이었다.

'분명 재영이와 사소한 말다툼도 없었는데.'

늦은 밤이 돼서야 도착한 집에서도 민석은 재영이 굳이 그렇게까지 말을 한 것에 대해 다시 곱씹었다. 분명 그 상황만 보자면 재영의 잘못이지만 십몇 년 만에 만난 상대에게 악감정이 없는 한 나오지 않을 비아냥이었다. 생각에 생각을 거듭하다 보니 오히려 잘못을 자신에게서 찾는 불완전한 상태로까지 접근했다. 대게 이런 경우 잘못된 접근이지만 이번 만큼은 방향이 맞았다.

민석은 누구와의 관계가 아닌 학창 시절 스스로를 가만히 들여다 봤다. 씁쓸함과 후회와 부끄러움이 묻어난 짧은 웃음을 뱉어내기까지 그리 오랜 시간이 걸리지 않았다. 건방지고 거만하고 오만했다. 자존감이 바닥난 상황인 만큼 그 부끄러움은 더 했다. 그저 그것이 정답인 줄 알고 행했던 것들에 대한 후회가 물밀 듯이 밀려왔다.

과거의 자신과 후회들이 꼬리에 꼬리를 물 때 흔히 말도 안 되는 철학적 논리와 정당성을 부여하곤 하는데, 대체로 딱히 답이 없을 때 그렇다. 이를 두고 대체로 쓸데없는 궁상이라고 하는데 당사자에게는 어떻게든 의미 있는 일이 될 수도 있으니, 그건 모를 일이다.

민석은 그 궁상의 결정체로 Y로 가기 위해 다음 날 아침 일찌감치 집을 나섰다. 다시 시작하는 이 시점에서 과거의 자신과 마주하겠다는 생각에 갇혀 내린 결정이다. 이런들 저런들 민석은 지금 공연을 준비하는 것 말고는 딱히 할 일도 없다. 마침 연습이 있는 날이지만 시간에 맞춰 올라올 참이었다. 집에는 따로 알리지 않았다. 별다른 계획이나 목적지는 없다. 떠오르는 곳으로 발길을 옮길 것이고 혹시라도 누군가라도 만난다면 미안하다는 용기도 내 볼 생각이다. 아니, 피하지나 말자.

'훗날 크면 학창 시절이 많이 그리울 것이다.'

'다시 돌아간다면 학창 시절로 돌아갈 것이다.'

학창 시절 선생님이나 누군가에게 숱하게 들을 때 마다 민석은 적어도 자신만은 절대 그런 일은 없을 거라고 장담했다. 그건 그들이 느낀 부담과 좌절이 감내가 가능한 수준일 때 가능하다고 생각했다. 그 부담과 좌절도 시간이 지나니 추억이 될 줄은 몰랐다. 그것도 결국 나인 것이다.

가장 먼저 고등학교를 찾았다. 예전에 비해 멀끔해진 운동장 중앙에서 잠시 멈칫했다. 다시는 올 일이 없을 줄 알았던 학교는 그대로였지만, 민석은 많이 변해 있었다. 이유 모를 울컥거림에 고개를 떨궜고 그 자리에서 한참을 머물렀다. 철학적 사고의 결론은 결국 지난 십몇 년을 끝없이 달려온 자신에게 보내는 마지막 아쉬움과 위로를 위한 핑계였다.

대충 끼니를 때우고 나선 거리에서 생긴 지 얼마 안돼 보이는 찻집이 끌렸다. 잠시 몸을 녹이자는 생각이었다. 오랜만에 찾은 Y는 생각보다 쌀쌀했다.

성심당이라는 글자가 크게 박힌 간판이 눈에 들었다. 찻집 안쪽으로는 주인으로 보이는 아저씨가 휴대폰을 내려보고 있었고, 부엌에는 아주머니가 접시를 닦고 있었다.

민석은 문을 두드렸다. 반응이 없다. 좀 더 세게 두드렸다.

"열고 들어와. 그냥 열고 들어오면 돼." 아저씨가 민석을 향해 소리쳤다.

"야, 이 아줌마야. 내가 말했잖아. 저렇게 해 놓으면 안 된다고."

"아니, 열고 들어오면 되지 뭐 한다고 가만히 서있고 자빠졌어. 열고 들어와." 아주머니가 고개도 돌리지 않은 채 하던 일을 계속하며 소리쳤다. 어렸을 적 거리를 오다니며 흔히 들을 수 있는 사투리에 미소가 지어졌다.

"뭐 마시러 온 거야? 그러면 저기 앉아."

좁은 골목길에 붙어있는 찻집이다. 자동문 센서를 켜놓으니 거리를 지나쳐 오고 가는 사람들에게도 문이 열려 센서를 꺼둔 모양이다. 자동문으로 촉발

된 핸드폰을 보고 있던 단골 손님과 접시를 닦고 있던 사장님의 투덕거림은 대추차가 나오기 전까지 계속됐다. 민석은 정감 가는 그 투덕거림을 배경음악으로 하고 양손으로 찻잔을 감싸 쥐었다. 대추차를 한 모금하고 밖을 살피니 어느새 어스름이 끼고 있었다.

'아, 내일 올라가야겠다.'

찻집은 묘한 매력을 풍겼다. 아무렇게나 널브러진 기타, 멋들어진 장난감 모형자동차, 어디서 주워서 걸어놓은 듯한 액자와 시계들, 약간은 불그스름한 조명이다.

"여 일찍 왔네." 백발을 뒤로 묶은 할아버지가 들어섰다.

"어, 좀 됐어. 그나저나 저 문 좀 어떻게 해, 방금도 저기 젊은이가 문밖에서 한참을 섰다가 들어왔어."

"하여튼, 저 여편네 그냥 센서 켜놓으라니까 말을 안 들어."

"저것 봐. 또 내 탓이래. 이 영감탱이야! 그냥 저자 동문 풋말을 때. 그럼 되잖아."

"뭐 마실래? 자네 아들 결혼한다며. 내 오늘 기가 막힌 거 하나 꺼내 줌세."

"뭐길래 그래?"

"멕켈란이라고 고급 위스키야, 위스키 마실 줄 아는지 모르겠네."

백발 할아버지의 위스키 강의는 그 뒤로 몇 분간 계속됐다. 손님이라고는 혼자인 터라 민석 역시도 그 강의를 고스란히 듣고 있었는데, 신빙성이 심각하리만큼 의심되는 것들이어서 듣는 내내 웃음이 나오는 걸 억지로 참았다.

"아, 결혼식은 어디서 해? 서울에서 하는가?"

"응, 그렇지."

"서울 살 거면 집값이 장난 아닐 텐데, 영훈이 모아둔 돈이 좀 있나 봐?"

"기껏해야 몇 푼이지, 얼마 전에 죄송하다며 전화 왔더라, 조금만 보태줄 수 있냐고."

"그래서 해 줬어?"

"나야 돈 있으면 몽땅 다 주고 싶지. 자네도 알잖는가, 지금 내 형편. 집 하나는 장만해주고 싶었는데, 아주 속상해 죽겠더라고."

"뭐 어쩔 수 없지."

"그래서, 집 담보로 대출받아서 1억 정도 해줬어."

"됐네, 그 정도면 됐어. 애썼어. 장가도 보내고 이제 할 일 다했네. 좋은 술 앞에 두고 그리 인상 쓰는 거 아니야."

민석은 핸드폰을 내려보고 있던 아저씨가 영훈의 아버지라는 것을 알고 아차 싶었다. 하긴 초등학교 때 영훈이 입원해있던 병원에서 한 번 본 것이 다였으니 기억하는 것이 이상할 일이다. 민석은 지금이라도 인사를 해야 하나 고민이었지만, 요즘 뭐 하고 지내냐는 예상되는 질문들이 귀여 박혀 그대로 주저앉았다.

"아, 그거 들었어? 태성이 요즘 문방구 다시 열었다면서?"

"이태성? 아니 처음 듣는데. 걔는 그 많은 돈 두고 왜 여기서 문방구를 하고 있데."

"수진이 때문이라는데?"

"민수진?"

"왜, 너 몰랐어? 태성이가 수진이 엄청 좋아했잖아. 따지고 보면 우진이가 그렇게 된 것도 민수진 때문이기도 하고."

제 3 장

듣지 않고 알지 못했던 나

30

"영훈아, 잠깐만, 민석이 전화 왔다. 여보세요?"

"여보세요?"

"뭐야, 목소리 왜 이래, 너 술 마셨냐?"

"그래, 마셨다!"

"아, 그래 그렇구나 마셨구나. 우리도 술이라는 걸 마시고 있는데 여기서 같이 마실 생각은 없었던 거니?"

"시끄러."

"아 그렇구나, 내가 시끄럽구나. 그것은 마치 민석이 네가 현재 대화가 통하지 않는 상태라는 걸 알려주는 거구나."

"나 정말 내가 잘 못 살았다는 걸 너무 뼈저리게 느끼고 있어, 너무 부끄럽고 자존심도 상하고 미치겠다 친구야."

"그래, 그래도 너 그렇게까지는 쓰레기 아니야, 조금은 괜찮은 구석이 있어. 이리와 어디니 우리가 갈까?"

"여기 Y야."

"아 우리가 갈 수 없고 너도 올 수 없는 곳이구나. 근데 너는 왜 굳이 우리 연습날에 거기가서 쓸데없이 상처받고 울먹거리고 있니?"

"전화 끊는다? 명주 바꿔."

"얘기해, 이거 스피커폰이야, 민석아."

"얼마 전에 서울에서 재영이를 우연히 만났거든. 내 상황을 얘기했더니 심각하게 비아냥거리더라고. 내 기억으로는 딱히 재영이한테 해코지 한 것이 없었던 것 같은데 말이야."

"근데 뭐? 말을 해."

"한참을 곰곰이 생각해보니까 정말 학창 시절의 나는 쓰레기였던 것 같아."

"아, 황민석, 맞아 너 그때 그런 존재였어. 심각하게 재수가 없는 그런 아이. 너 정말 나 아니었으면 애들한테 맞기도 엄청 맞았을걸. 평생을 보답해야 해 년 우리한테 인마."

"박성우, 진짜 적당히 해라."

"아, 그니까! 왜 하필 오늘이냐고! 그 진지한 생각 내일 해도 되고 다음 주에 해도 되잖아. 왜 얼마 안 남은 공연 연습 날에 거기 가서 심각한 생각을 하고 자빠졌냐는 말이다 내 말은."

"아, 미안, 진짜 오늘 연습 시간에 맞춰서 올라가려고 했었어. 다음부터는 절대 안 빠질게. 그나저나 나 오늘 이상한 얘기를 들었어."

"그래 일단 들어볼게."

"예슬인 오늘도 못 나왔지?"

"응, 예슬이는 갑자기 왜?"

"예슬이 아주머님이 많이 아프신 거 같아."

"응? 갑자기 그게 무슨 얘기야?"

"찻집에서 아저씨들끼리 하는 얘기를 들었어."

"무슨 얘기?"

"예슬이 아주머니와 문방구 아저씨, 그리고 성우 아버지와 어머니."

"뭐야? 알아듣게 얘기를 해야지? 너 술 얼마나 마신 거야?"

"아니야, 많이 안 마셨어. 좀 전에는 감정이 올라와서. 암튼, 나 말짱해."

"문방구 아저씨라면 우리 삼촌 말하는 건가?"

"응, 명주야 너희 삼촌. 방금 말한 네 분이 우리처럼 학창 시절 친구였대. 박성우, 넌 알고 있었지?"

"응, 그 얘기라면 굳이 듣고 싶지는 않지만 대충은 알고 있어. 항상 말씀하시는 그 친구 분들이 누군지 궁금하긴 했었는데. 예슬이 아주머니와 문방구 아저씨라니, 그건 좀 충격이긴 하네."

다들 예슬의 어머니는 스치듯이 본 것이 전부다. 각자 부모님으로부터도 유독 예슬의 어머니에 대해서는 들은 기억은 없다. 멀리 몇백 미터 떨어진 뒷동네 부부 싸움 이유도 내일이면 알 수 있는 Y에서 흔치 않은 일이기는 했다.

"강예슬, 솔직히 말해. 너 우리가 창피해서 그러는 거지." 성우가 등하굣길에서 항상 봐왔던 그림 같은 집에 놀러 가보고 싶은 마음에 물었다.

"아니야. 그냥 집에 부모님이 잘 안 계셔서 그래, 그리고 우리 집엔 장난감 같은 것도 하나 없어."

"쳇."

아직은 부자라는 것이 그리 와닿지는 않았겠으나 TV에서만 보던 웅장한 집과 학교 운동장보다 커보이는 앞마당을 채우고 있을 갖가지 것들에 대한 호기심이 성우의 마음을 자꾸만 예슬의 집으로 이끌었다.

어느 날인가 성우가 몇 번이나 말하던 탓에 도대체 집이 얼마나 큰 지, 박성우 이 녀석이 또 허풍을 피우는 건 아닌지 확인하고 싶어 명주와 영훈이 따라나섰다.

"내 말 맞지? 저기가 예슬이 집이야."

"조용히 좀 해." 명주가 검지 손가락을 입술에 댔다가 떼고는 낮은 목소리로 말했다.

"아니 근데 집 진짜 크다, 무슨 마당이 학교 운동장 몇 배 만하잖아."

"야, 우리 초인종 눌러볼까, 예슬이 친구라고 하면 되잖아."

뒷 일은 생각지 않고 일단 저지르고 보는 성우가 어느새 문 앞에 섰다.

"야, 하지 마, 예슬이가 진짜 싫어할 거야, 우리 그냥 가까이서 보기만 하고 가기로 했잖아. 그냥 가자." 성우를 어르고 달래는 것은 지금이나 어렸을 때나 늘 명주의 몫이다.

"아, 예슬이는 진짜 우리가 창피한가, 집에 재밌는 것 엄청 많을 거 같은데, 먹을 것도 엄청 많겠고."

"네가 성우구나?"

"네, 안녕하세요!"

"응, 안녕? 얘기 많이 들었단다. 듣던 대로 남자답게 잘생겼네. 충분히 배우 해도 되겠는걸."

"안녕하세요, 아주머니! 정말요? 감사합니다!"

같은 동네에서 십 년 가까이 살았지만, 예슬이 어머니를 본 것은 고등학교 졸업식이 처음이었다.

"명주, 안녕?"

"안녕하세요, 예슬이 친구 명주예요."

"응, 잘 알고 있어, 명주가 처음 전학 왔을 때 많이 도와줬다고, 많이 고맙게 생각하고 있단다."

"아니에요. 아주머니. 친구로서 당연히 해야 하는 일인데요 뭐."

"예슬이가 이렇게 좋은 친구들을 두게 돼서 정말이지 엄마는 고맙고 또 고마워."

그날 예슬의 어머니는 친구 한 명 한 명의 손을 꼭 잡으면서 고맙고 고맙다며 앞으로도 잘 부탁한다는 말을 몇 번이나 더 남기고 자리를 피하셨다. 그냥 하는 인사치레가 아닌 진심이 담긴 눈빛과 목소리였다. 학교 선생님들하고는 웃으면서 안부를 묻고 하는 것이 이미 몇 차례 본 것 같은 느낌이었다. 얼핏 듣기로는 지난 수학여행에 보내주신 음식들 정말 잘 먹었다며, 매번 감사하다는 얘기였다. 예슬이가 좋은 학교에 가게 돼서 기쁘다는 얘기도 빼놓지 않았던 것 같다.

'태어나줘서 고마워, 내 딸.'

예슬은 수진이 방금 쥐여주고 간 봉투의 글귀를 계속 보고 있었다.

"어라 크리스마스 봉투네, 우와 돈! 야 최명주 이리 와봐. 아주머니가 돈 엄청 주고 가셨나 봐. 야 강예슬, 근데 너 엄마 정말 많이 좋아하나 보네? 완전 마마걸 아니야 마마걸."

"응? 무슨 소리야?"

성우가 소리치는 덕에 그제야 정신을 차렸는지 봉투를 얼른 닫아 가방에 넣었다.

"맞아, 너 우리한테는 말 한마디 안 하면서, 집에서는 말 많이 한다며?" 명주까지 옆에서 거들었다.

"무슨 소리야?"

"모른척하지 마. 아주머니가 다 말씀하셨어."

"아주머니가 우리 얼굴부터 잘 알고 계시더라고. 네가 우리 칭찬 많이 했다고. 고맙다고 하셨어." 의아한 얼굴을 하고 있는 예슬에게 명주가 방금 있었던 일을 설명했다.

"그런 거 아니야, 가자 밥 먹으러."

"뭐가 아니야, 너 우리가 몇 번이나 불렀는지 알아? 소리도 못 듣고 계속 엄마 가는 뒷모습만 보더니 지금은 그 봉투만 계속 뚫어져라 보고 있잖아."

"아, 그런거 아니래도 그만해." 예슬은 여태껏 본적 없는 짜증 나는 투로 대화를 끊어버렸다.

"하여튼 박성우, 야 오버 좀 그만해, 밥이나 먹으러 가자." 명주가 배가 고프다며 중국집으로 앞장섰다.

31

태성은 Y에 있는 유일한 종합병원 Y 병원 막내아들이다. 항상 두둑한 용돈 덕에 굳이 부모님에게 따로 부탁하지 않아도 웬만한 것은 다 살 수 있었다. 다니는 모양새와 얼굴에도 그 시절, 특히 Y를 와 다니는 동네 여느 아이와는 확연히 다른 매력이 묻어있었다. 누구도 가지지 못한 외제품을 아무렇지 않게 가졌고 싫증나면 친구들에게 던져주고는 했다. 친구들은 자기들로서는 사지도 구하지도 못할 물건들을 공짜로 받을 수 있는 그 자체만으로도 태성이 옆에 딱 붙어 있어야 했다.

태성은 위로 누나 셋을 낳고 힘겹게 얻은 막내아들인 만큼 집안에서는 물론이거니와 어딜 가나 관심의 대상이었다. 무슨 잘못을 해도 용서됐다. 거기에 의사인 아버지와 어머니의 유전자를 그대로 물려받았는지 성적도 항상 1

등을 유지했고, 운동도 곧 잘했다.

지난주 금요일에는 중학교 회장 선거가 있었고 이변 없이 태성이가 압도적으로 당선됐다.태성은 이번 선거에서 크게 무언가를 한 기억은 없다. 누군가 써준 연설문을 선거 당일 그대로 가져가 읽었을 뿐이다. 한 달 내내 어머니가 전화기를 붙잡고 어디서 가져왔는지 전화번호가 쭉 적힌 종이를 들고 일일이 전화하는 걸 듣긴 한 것 같다.

그해 중학교 회장 선거는 유독 치열했다. 회장 자리는 태성이 몫이라고 하더라도 득표를 두 번째로 많이 받는 사람은 부회장이 될 수 있었다. 부회장 타이틀이라도 노리는 친구들과 2학년 부회장 출마자들도 꽤나 있었다. 3학년 회장 선거는 8명, 부회장은 3명이 출마했다. 치열한 유세전을 지켜보다 보니 혹시나 떨어지면 어떡하지 하는 왠시 불안한 미음도 있었던 것이 사실이다. 비록 원해서 출마했던 것은 아니었지만 태성도 막상 당선되고 나니 기분이 좋았다. 원래로라면 이번 선거에서 자신이 떨어졌어야 했다는 것을 알게 되기 전까지는 말이다.

지난 토요일 새벽 태성은 아버지의 큰소리에 잠을 깼다. 아버지가 소리치는 것은 흔한 일이 아닐뿐더러 어렴풋이 학교 얘기도 나오는 것 같아 이불을 걷어붙이고 귀를 열었다.

"내가 학교에 갖다 바치는 돈이 얼만데, 그리고 해마다 스승의 날이니 소풍이니 보내는 것이 얼마인지 잊으셨나 봐요."

아마 아버지의 어떤 요구를 학교 쪽에서 들어주지 않았던 것 같다.

"네 당연히 그러셔야죠."

대화는 더 이어지지 않은 듯했고, 아버지는 원하는 바를 이룬 것 같았다.

"뭐라고 해요?"

엄마가 결과를 궁금해하며 물었다.

"뭐 당연히 된다고 하지."

"처음부터 그냥 하라는 대로 하지, 꼭 일을 만들고 그래."

"그러게 말입니다."

"그러게 무슨 도움이 된다고 야자를 하라고, 그 시간에 과외를 더 하지."

그리고 나오는 얘기는 다소 충격이었다.

"아니 그리고 이번 교장 진짜 안 되겠어."

아직 화를 가라앉히지 못한 엄마 목소리다.

"왜 또 무슨 일인데?"

"아니 글쎄 그 회장 선거 얘기를 꺼내잖아."

"근데, 그건 잘한 거 아니야? 아니었으면 떨어졌을 거 아니야. 생각만 해도 너무 창피하네."

'떨어졌다고, 이건 무슨 얘기지?'

"아니, 알아서 잘 처리하고 하면 되지 그걸 전화를 하고 일을 어수룩하게 처리해. 아마 아는 사람이 몇몇 있을 거 아니야, 사람이 철저하지를 못해. 아직도 그 생각 하면 찝찝하단 말이야."

'무슨 얘기지, 설마 선거를 조작했단 말인가?'

태성은 아버지가 학교에 웬만큼 기부하고 이런저런 행사를 하는 것을 대충 알고 있었다. 당시에는 사소한 잘못을 저질러도 선생님에게 맞는 일이 다반사였지만 태성은 열외 되거나 아주 가벼운 체벌을 받았다. 선생님은 말할 것도 없거니와 교장 선생님은 태성이 혹시나 불편함이 없도록 모든 신경을 쏟고 있다. 부모님이 학교에 어느 정도 영향력을 끼치고 있는 줄은 알았지만,

이 정도까지인지는 몰랐다. 확실히 건강하고 정상적이지 못한 일임과 동시에 자존심이 상하는 일이다.

"회장, 학교 가야지."

"엄마, 오늘 학교 가기 싫어요."

"왜, 어디 아파? 그러지 말고 당선되고 첫 등교인데 친구들하고 선생님에게 감사 인사도 드리고 해야 하잖아. 오늘만 꼭 가자. 응? 착하지 우리 아들."

엄마가 이렇게 나오면 더는 방법이 없다는 걸 아는 태성은 아버지가 해외 세미나를 다녀오며 사 왔다는 새 신발을 꺼냈다.

회장도 당선되고 새 신발까지 신었으니 발걸음이 가벼워야 하지만 너무 창피하고 화가 나서 숨어버리고 싶은 심정이었다.

까만색 고급 승용차가 막 교문을 들어서려는 태성이 앞에 섰다. 차를 잘 알지 못하는 태성이 보기에도 지금 앞에 선 차는 아버지의 것보다 훨씬 크고 좋아 보였다. 지금까지 Y에서 가장 좋은 차를 모는 사람은 물을 것도 없이 태성의 아버지였다. 어느새 웅성웅성 아이들이 모여들었고 태성은 저도 모르게 그 무리에 섞이게 됐다. 차는 교문 바로 앞에서 일 분 가량 서 있더니 이내 깔끔한 정장을 입은 풍채 좋은 아저씨가 급히 뒷문을 열었다. TV드라마에서나 보던 부잣집 운전기사가 문을 열어주는 그런 광경이었다. 태성은 친구들이 운전기사 없이 걸어서 등교하는 본인과 비교하지는 않을까 하는 걱정으로 주위를 살폈다. 문이 열리고 몇 초가 흐른 뒤 여자아이가 내렸다. 태성은 자신도 의식하지 못하는 새 지금껏 본 적 없는 예쁜 얼굴을 한 여자아이에게 눈을 고정했다.

"태성아, 와 이거 나이키 아니야?"

태성의 신발을 알아 본 한 친구 녀석이 알은체를 하며 소리쳤다. 방금 본 여자아이에 시선이 고정돼 있던 태성은 그 소리에 정신을 차렸다. 삼삼오오 태성이 옆으로 친구들이 모여들었다.

"어, 맞아. 아버지가 이번에 해외 다녀오시면서 사오셨어."

대략 대답하고 무리를 빠져나온 태성의 눈은 다시 그 여자아이를 찾아 헤맸지만 어디로 사라졌는지 찾을 수 없었다.

'전학생인가.'

수업 시작 전 태성이 주위로 친구들이 모여들었다. 회장 당선을 축하한다는 얘기는 어느새 새로 메고 온 가방 얘기로 이어졌고, 한 친구 녀석이 아까 봤다며 신발 얘기로까지 번졌다. 태성의 관심을 끌기 위해 경쟁이라도 하는 듯 소리를 점점 키워가고 있었지만, 태성은 줄곧 아까 본 그 여자아이 생각에 잠겼다.

'누굴까?'

종소리와 함께 앞문이 열렸다. 일순 제자리를 찾아가는 소란스러움과 질서 정연한 정적이 찾아왔다.

"조용, 오늘 전학생이 있다. 여기 와서 소개하렴."

"민수진이야, 잘 부탁해.'

간결한 인사. 촘촘한 보석이 가지런히 수놓아진 머리핀과 시계가 유독 햇볕에 비춰 반짝거렸다.

'그 애다. 이름이 수진이구나.' 수진을 단번에 알아본 태성의 눈이 휘둥그레졌다.

확실히 가까이서 본 수진은 더 예뻤고 아름다웠다. 순간 태성은 전에 경험해보지 못한 묘한 감정이 온몸을 휘감는 느낌을 받았다. 사랑이란 것을 알지는 못하지만 지금 느끼는 감정이 바로 그것일 거라고 확신했다. 말문이 막혀서 넋 놓고 보고 있던 태성의 주먹은 공기 한 줌 들어가지 못하게 꽉 쥐어져 있었다.

　모든 걸 가지고 태어난 태성은 그렇게 남을 배려하는 아이는 아니었다. 적어도 수진을 알게 되기 전까지는 그랬다. 태성과 비슷한 가정환경에서 자라난 아이들이 대게 그렇듯 세상의 중심에서 모든 것을 자기 마음대로 모든 것이 움직여야 했다. 가지고 싶은 것은 반드시 가져야만 했고, 하고 싶은 것이 있다면 지금 당장 해야만 했다.

　태성은 수진을 처음 만난 그날부터 아주 조금씩 자신을 좋은 사람으로 만들어갔다. 언젠가 수진이 수업 시간 중 영어로 아버지를 소개하며 꼭 이런 남자와 결혼하고 싶다고 했던 그 성격과 말투, 생김새를 기억해 두고 거기에 맞춰갔다.

　수진을 만나기 전 남부럽지 않은 삶을 살아왔던 태성이지만 수진을 알게 된 후부터는 자신을 버렸다고 하는 편이 맞겠다. 그저 수진의 주변을 맴돌며 수진을 살필 수 있다는 것 자체만으로 행복했다. 수진은 어느 순간부터인가 태성의 인생 목표가 되어 있었다.

　하지만 현실은 수진의 목소리를 듣는 것도 여의치 않았다. 수진이 말을 하는 것은 수업 시간 선생님의 질문에 답을 할때가 거의 유일했다. 태성은 가느다랗게 떨리는 그 목소리를 들을 때면 그게 뭐라고 세상을 다 가진 듯이 행복했다. 한마디 한마디 할 때마다 심장이 요동쳤다. 수진이 등장하기 전에는 상상조차 할 수 없는 것들에 모든 감정을 온전히 쏟아냈다.

　수진은 몸이 안 좋다는 이유로 학교에 늦게 남아 공부해야 하는 야간 자율

학습도 제외됐고, 학교를 마치면 항상 그 등굣길에서 본 고급 자동차가 교문 앞에 대기하고 있었다. 점차 학교에 오는 날 보다 오지 않는 날이 더 많아지더니 어느 순간부터 학교에 나타나지를 않았다. 어느덧 태성은 수진과 대화한 번 제대로 못 한 채 일년을 흘려보내고 졸업을 맞이했다. 태성은 고등학교에서 수진을 만나면 적극적으로 표현하겠다고 다짐했다. Y는 고등학교가 하나밖에 없다.

여러 중학교 출신이 한군데로 모이는 탓에 Y고등학교 입학식 풍경은 힘 좀 쓴다고 하는 친구들의 힘겨루기와 기 싸움으로 점철되곤 한다. 그 시절 학교에서는 이 부분이 아무래도 중요했다. 일주일 새 누가 봐도 건장해 보이는 우진이 친구들 사이에서 가장 힘이 센 것으로 맞춰져 갔다.

"야 네가 태성이냐, 얘기 많이 들었다, 나 우진이다."

우진이 역시 싸움은 그렇게 좋아하지 않았지만, 처음 보는 자리에서 왠지 자신을 보여줘야 한다는 생각이 들었다.

"아, 그래. 안녕."

우진은 보는 둥 마는 둥 하며 인사를 건네는 태성이 아니꼬웠다. 누구든 자신에게만큼은 주눅 든 모습인데 무시하는 태도로 나온 것이다. 그러잖아도 부모 믿고 자기 멋대로 행동한다고 들었을 때부터 언젠가 한 번은 손 좀 봐줘야겠다고 생각했다.

"네가 그렇게 잘 나간다며?"

우진은 태성이 바라보고 있는 창문을 가로막고 히죽거렸다.

"어."

수진이 생각에 빠져 우진의 말을 정확히 듣지 못한 태성이 귀찮은 듯 대답했다.

"이거 봐라. 야 학교 끝나고 너 나 좀 보자."

자신을 벌레 보듯 귀찮게 여기는 태도에 화가 끝까지 치민 우진이 소리쳤다.

"그러시든가."

'설마 고등학교를 다른 곳으로 간 것은 아니겠지.'

방학 내내 수진이 혹시라도 다른 학교에 갔을까 봐 전전긍긍한 태성이다. 아빠나 엄마에게 물어보면 금세 알아낼 수 있을 테지만, 다른 것은 다 돼도 고등학교 졸업까지 여자친구는 안된다고 못 박아 버린 부모님이기에 일찌감치 생각을 접었다.

학교에 오자마자 수진의 중학교 친구들에게 물어봤지만 봤다는 녀석이 한 명도 없어 생각이 깊어졌다. 적어도 이사를 갔다는 얘기를 듣지는 못했으니 다시 만나게 된다면 이번은 절대 놓치지 않을 것이다. 태성은 심란해 죽겠는데 아까부터 우진인가 뭔가 하는 녀석이 말을 걸어와 귀찮기만 하다.

"자자, 모두 자리에 앉고. 태성이는 여기 출신이니까 뭐 대부분 잘 알 테고, 아마 아는 사람도 모르는 사람도 있을 것 같은데, 건강 문제로 학교에 못 나오다가 오늘 등교한 친구가 있어서 소개할게."

태성은 아무것도 들리지 않고 듣고 싶지도 않다.

"얼른 들어오렴."

눈의 번쩍 띄였다. 수진이다. 태성도 아버지의 해외 세미나를 따라 간다는 이유로 오늘 첫 등교 한 터라 자연스럽게 둘은 나란히 앉게 됐다. 혹여라도 들릴까 두려울 만큼 심장 소리가 미친 듯이 요동쳤다. 어느새 얼굴은 귀까지 빨개져 있었다.

"안녕, 나 기억나? 나 이태성. 중학교 때 같은 반이었는데."

"응."

"나, 너 학교 그만둔지 알았어."

"……."

"어찌 됐건 다시 봐서 정말 반가워, 잘 지내자."

'수진이가, 민수진이 여기에 있다. 그것도 바로 내 옆에. 수진이는 학교를 마치고 야자없이 바로 집에 갈 것임이 틀림없다. 그리고 또 차가 와서 기다리겠지. 교실에서 교문까지 밖에 시간이 없다.'

태성은 수진을 따라나서면서 어떻게든 대화를 더 해볼 생각이었다. 똑같은 실수로 후회하지 않겠다며 하루 온종일 다짐하고 다짐했다.

마침내 마지막 수업 종이 울렸다. 예상대로 수진은 조용히 짐을 싸서 일어섰다. 태성이 곧장 따라나서려는 찰나 누군가 막아섰다.

우진이다.

태성에게 무시당해 이를 갈고 있던 우진은 수진이 등장하고 나서부터의 태성을 계속해서 지켜보고 있었다.

"나랑 할 얘기가 있을 거 같은데."

"비켜." 자신에게 주어진 시간이 그리 많지 않다는 걸 누구보다 잘 아는 태성이 다급한 목소리로 힘줘 말했다.

"가만 보니, 저 수진인가 뭔가 하는 애한테 완전 빠진거 같은데. 나랑 얘기부터 끝내고 가야지. 야 민수진, 얘가 너 좋아한대. 손 한번 잡아주고 가라."

수진은 이미 문을 나서 계단으로 내려가고 있었다.

"아니, 이것들이 진짜 전부 미쳤나. 사람이 얘기를 하면 대꾸를 해야지 대꾸를."

'퍽'

수진이 계단 아래로 완전히 사라진 찰나, 주먹이 날아왔다. 예상치 못한 공격에 얼굴을 제대로 맞은 우진은 비틀거렸고, 태성은 고개 숙인 우진의 얼굴과 배를 계속해서 쉴 새 없이 때려댔다. 어느새 주변은 구경꾼들로 가득 메워졌다.

"아, 이 새끼가 비겁하게."

우진이 몸을 일으키며 팔을 휘둘렀다. 워낙 힘이 좋은 우진의 주먹을 맞은 태성은 넘어졌다. 얼마나 기다려온 순간인데. 우진이라는 녀석이 갑자기 나타나 망쳐버렸다. 이성을 잃은 둘은 한참을 엉겨 붙었다.

"이 새끼 비겁한지는 알고 있었지만, 진짜 더럽네, 너 중학교 회장도 조작했다며. 이 비겁한 놈아."

순간 태성은 정신이 퍼뜩 들었다.

"누가 그래?"

"누가 그러긴 누가그래. 여기 다 알아 이 쓰레기야."

이제 더는 무를 수도 없다. 분노로 점철된 둘은 아무 생각조차 할 수 없는 상태가 돼 한차례 또 엉겨 붙었다. 싸움을 잘한다고 하지만 그 나이 또래 친구들이 다 그렇듯이 딱히 어떤 멋스러움이 묻어나진 않았다.

허공을 향해 팔을 휘두르고, 또 뒹굴며 힘겨루기가 계속됐다. 몇 분이 지났을까 선생님이 문을 열고 교실에 들어섰다.

태성은 집에는 절대 말하지 말아 달라는 부탁과 함께 먼저 때렸다는 사실을 시인했다. 반성문 몇 장 후 귀가 허락을 받은 둘은 교문 앞에 섰고 우진이 먼저 손을 내밀었다.

"야, 놀린 거 미안하다."

이제 정신을 차린 태성은 태어나 처음으로 치고받은 이 녀석이 내민 손이 그리 나쁘지 않았다. 시간이 흐르고 화가 가라앉힌 것도 있다.

"됐다, 태성이다. 이태성."

"난 박우진."

"근데 너 내가 수진이 좋아하는 건 어떻게 알았냐?"

"걔가 들어오고 나서부터 눈을 떼지 못하더니만."

순간 태성은 귀까지 붉어졌다는 걸 느꼈다.

"와 진짜 엄청 좋아하나 보네."

그날 태성은 수진이를 처음 본 순간부터 좋아하고 있었다며, 다시 만나기만을 기다리고 있었는데 오늘 나타났다는 얘기를 꺼내놓았다. 듣는 내내 뭔가 결심한 듯한 표정을 짓던 우진도 지애를 어렸을 적부터 좋아했고 지금도 많이 좋아하고 있다고 고백했다. 둘은 자신을 좋아하는 사람은 많지만 정작 본인이 좋아하는 사람에 다가가는 것에는 서툴다는 공통점을 발견했다.

거침없는 솔직한 성격인 둘은 곧 둘도 없는 친구가 됐고 서로 도와주자며 웃어 보였다.

"하나만 더 물어보자."

내일 학교에서 보자는 작별 인사 후 태성이 우진의 등을 바라보며 말했다.

"아까 나 중학교 회장 선거 조작됐다는 거, 그건 어디서 들었냐?"

"아, 그거. 사실 잘 몰라. 애들이 그러던데, 진짜든 아니든 상관없다."

"맞아."

"응?"

"사실이라고, 조작됐다고. 원래 떨어진 건데 학교 선생님들이 투표 결과를 좀 건드렸나봐. 근데 난 정말 몰랐어."

"그렇구나, 근데 갑자기 그 얘기를 지금 나한테 하는 이유는?"

"모르겠네, 그냥 얘기하고 싶었어. 친구된 기념이라고 하지 뭐." 태성은 멋쩍은 듯 뒤로 돌아 손을 번쩍 들고는 흔들었다.

32

그날 이 후 여학생들사이에서 대체로 시기와 질투를 가득 담은 수진의 얘기가 오르내리더니 결국 그 화장실 사건이 벌어지고 말았다.

수진을 향한 수군거림은 점점 그 정도와 횟수가 심해졌지만 원래부터 혼자가 편한 수진이다.

대화를 한다는 것 자체가 부자연스러운 수진이기에 오히려 더 잘 된 편에 속했다. 정작 수진으로서도 그것이 본인의 감정을 망가뜨리기 위한 수군거림과 시선이었는지도 몰랐을 일이다.

그나마 출퇴근 길에는 항상 운전기사가 대기해 마주칠 일도 없고, 혹시나 교실에서 수진을 괴롭히다 걸리면 태성이 가만히 있지 않을 것이기에 무시하는 것 말고는 딱히 할 수 있는 것이 없기도 했다. 그러던 어느 날 수진이 화장실에서 손을 씻는데 심상찮은 소리가 뒤에서 들려왔다.

"야, 민수진. 너 좋겠다. 태성이가 너 찍었대."

"……."

"야! 사람이 말을 하면 대꾸라도 좀 해."

평소 직접 나서지는 않았지만 괴롭힘의 중심에 섰던 지애가 오늘은 마음을 먹었는지 직접 수진이에게 말을 쏟아냈다. 지애 옆에는 항상 붙어 다니는 몇몇 친구들도 함께 서 있었다.

"무슨 얘기야?"

"태성이가 너 좋아한대자나. 야 호박씨 까는거 봐. 야 관심 없으면 관심 없다고 얘길 하던지."

"몰라, 그런 거."

"야 태성이가 알면 어떡하려고?" 때리는 것 까지는 생각 못 했던 친구들이 지애를 말리고 나섰다."

"아 정말 재수 없어. 넌 정말 안되겠다." 지애가 수진이와 반 발자국도 안되는 거리로 다가가 속삭였다.

"야." 남자 목소리다.

순간 지애는 등줄기에 식은땀 한줄기가 쫙 그어지는 것을 느꼈다. 태성이 여자 화장실에 들어왔다. 화장실에서 조용히 빠져나온 친구가 안에서 벌어지는 상황을 소란스레 떠들었고, 태성이 들었던 것이다.

"다 나가."

"다 나가라고."

태성과 지애를 남겨두고 모두 자리를 피했다.

"이지애, 난 너 처음부터 네가 뒤에서 그러는 것 알고 있었어. 알고 있었지만 우진이를 생각하면서 모른 체 했어. 근데 더는 안되겠다. 너 한 번만 더, 정말 한 번만 더 이러면 그때는 정말 참지 않는다."

"이태성, 저 말라 비틀어서는 뒤에서 호박씨 까는 애가 뭐가 좋다고 그러는 거야? 좀 정신 차려. 네 눈에는 내가 보이지 않니?"

"이지애, 한 번만 더 수진이를 욕하면 그땐 정말 참지 않을 거야."

"아이고, 아주 누가 보면 서방인 줄 알겠네."

"너 이러는 거는 우진이는 알고 있니? 나랑 우진이 하고 어떤 사이인지는 알고 있는 거지?"

"여기서 우진이 얘기가 왜 나와. 지금 나와 너에 대해 얘기하고 있는 거잖아."

"이지애, 너와 나와는 아무것도 없어."

우진은 한껏 들뜬 표정으로 1층 출입문 뒤쪽에 서서 지애를 기다리고 있었다. 지애가 청소를 마치고 나오는 길에 깜짝 선물을 해 줄 요량이었다. 지애가 쇼윈도에 걸린 옷을 보고 정말 예쁘다고 한 것을 기억한 우진이다. 가격을 보니 용돈을 모아서는 몇 개월이 지나도 턱도 없을 금액이었다. 우진은 몇 달이나 남은 지애의 생일을 대비해 신문배달로 돈을 모았다. 새벽 신문은 집에서 금방 알아챌 수 있기 때문에 일주일에 한 번 저녁에 발간되는 지역 석간신문 배달을 했다. 우진은 그렇게 일을 하고 모은 돈과 아껴둔 용돈을 합쳐 어제 그 옷을 샀다. 선물을 받고 좋아할 지애 생각에 얼굴에는 미소가 떠나지 않았다. 지애가 비가 오는 것을 싫어해 일기예보도 확인했다.

"우진아." 태성의 목소리에 지애도 고개를 돌렸다.

"지금 이게 어떻게 된 상황인지 듣고 싶은데." 아무리 기다려도 나타나지 않자 교실로 들어선 우진의 눈에는 태성의 얼굴을 감싸고 자신의 입술을 가져가려는 지애의 모습이 들어왔다.

"박우진. 알아 네가 지금 무슨 생각을 하고 있는지 알겠는데, 아니야." 당황한 태성이 다급히 말을 꺼냈다.

"그냥 아무 말 하지 마. 야 이태성, 내가 너 지금 죽이고 싶은 거 억지로 참고 있거든 하나만 물을게 너 지애한테 관심 없는 거지?"

"응."

"그럼 앞으로 지애하고 따로든 같이든 아무 말도 하지말고 눈도 마주치지 마."

"그래 그렇게 할게. 어찌 됐든 미안하다."

"듣기 싫어, 그냥 빨리 사라져."

"지애야, 그동안의 우리는 도대체 뭐였니?" 우진이 눈물과 분노를 꾹꾹 누른 목소리로 한 글자 한 글자 억지로 숨 쉬듯 내뱉었다.

"정말 미안해, 태성이를 많이 좋아했었어. 한데 네가 쉴 새 없이 고백하다 보니 태성이에게 질투를 유발하려는 마음에 시작했는데.. 솔직히 나도 이젠 정말 모르겠어. 이런 감정의 내가 너무 싫어." 지애가 담담한 목소리로 말을 이어나갔다.

"나 용서할 수 없겠지. 우리 조금만 시간을 가져볼래?"

"아니, 그런 시간 같은 건 필요 없어, 그건 헤어질 때나 하는 얘기야. 내가 널 좋아하고 내가 널 지켜, 아무에게도 뺏기지 않아."

"우진아, 이런 나를 보고서도 그런 얘기가 나오니? 네가 나를 욕해야 하는 상황이라고."

"응. 나도 지금 억지로 버티고 있는 거야, 하지만 지금 그만두면,, 그게 더 자신 없어."

"박우진."

"일단 오늘은 먼저 갈게. 그리고 난 오늘 아무것도 보지도 듣지도 못했다. 지애야, 오늘은 바래다주지는 못하겠다. 조심히 들어가."

우진이 떠난 자리에는 지애가 몇 달전 우진이와 함께 가는 걸음을 멈추고 한참을 쳐다본 흰색 원피스와 노란색 카디건이 담긴 쇼핑백이 놓여 있었다.

다음날 학교에서 만난 우진은 전과 똑같이 지애를 대했다. 마치 기억에서 정말 어제의 일을 깨끗이 지워버린 듯 말투도 행동도 변한 것이 하나 없었다. 하지만 태성과는 아니었다. 태성 역시도 우진이 자신을 오해하는 것이 싫었지만 굳이 그 상황을 고치려 들지는 않았다. 오히려 잘 됐다고 생각했을지 모른다. 지애가 수진이를 괴롭히고 있는 것을 어렴풋이 알고 있었지만 우진이 녀석 때문에 함부로 하지 못하고 있었기 때문이다. 이제 정말 한 번만 수진이를 괴롭히거나 하면 그게 누구든 더는 가만히 있지 않을 생각이었다.

그러지 않아도 수진이 언제 또 갑자기 학교를 나오지 않을지 모른다는 생각에 항상 불안했던 태성이다. 아마 전교생 중 수진만 모르고 있었을 테지만 태성은 다음 날 바로 행동에 나섰다.

"앞으로 수진이를 괴롭히면 절대 그냥 넘어가지 않을 거야."

태성의 선포에 이내 정적이 흐르더니 여기저기서 웅성거림이 시작됐다. 태성은 자신을 뚫어져라 보고 있는 지애를 응시하며 다시 한번 단어 하나하나를 강조했다.

"분명히 말하는데 이 시간 이후로 만약 수진이에게 어떤 일이 일어난다면 누가 됐든 간에 어떤 식으로든 가만히 있지 않을 거야."

일주일이 지나고 시험 기간에 맞춰 수진은 다시 학교에 나타났다.

"야, 민수진 정말 얄밉지 않니?"

"난 태성이 너무 불쌍해, 그 여우 같은 애한테 이용당하고 있는 것 같단 말이야."

"그러게, 우리가 알던 태성이가 아니야 그 애가 여기 나타나고서부터 완전히 변했단 말이지."

"진짜, 우리 그냥 이대로 가만 있어야 하는 거야?"

"가만있지 않으면, 혹여라도 태성이가 알게 된다면 정말 난리가 날 거야, 너 태성이 몰라?"

"정말 미치겠네, 태성이가 빨리 정신 차리기를 바라는 편이 낫겠구나."

'무슨 얘기지. 우리 반 애들 목소리인데. 저 애들이 말하는 수진이는 분명 나를 말하는 것 같은데' 수진은 무슨 얘기인지 물어보고 싶어 급히 화장실 밖으로 나갔지만 이미 아무도 없었다. 아무래도 말보다는 글이 편한 수진이다. 자리에 앉아 태성이에게 편지를 썼다.

To 태성

'안녕, 나 수진이야. 지난번엔 고마웠어. 진작에 인사를 해야 했는데 워낙 경황이 없어서 늦었다. 그때는 왜 그 친구들이 화장실에서 나에게 그런 짓을 했는지 이해를 못 했는데 이제야 조금 알게 된 거 같아. 나를 좋아해 준다니 고마워. 왜 네가 나를 좋아하는지 모르겠지만, 사실 좋아한다는 것이 무엇인지도 정확히 알지는 못해. 어렸을 적부터 아빠가 나에게 항상 나를 좋아한다고 말은 한 기억은 있어. 쓸데없는 얘기까지 했네. 아무튼 네 감정은 네 마음이라고 생각해. 하지만 왠지 모르지만 그것으로 인해 내가 요즘 불편해진다는 것을 느껴. 난 누구의 관심을 받는 것이 익숙지 않거든. 난 다만 이 불편함을 해소하고 싶었어. 고민 끝에 편지를 써. 답장은 굳이 하지 않아도 돼.

From 수진

To 수진

안녕, 수진아. 편지 고마워. 답장은 굳이 하지 않아도 된다고 말은 했지만.

어떤 식으로든 답장을 꼭 하고 싶어서 이렇게 편지를 써. 불편함을 겪고 있다니 정말 미안해. 괴롭힘을 당한다는 것 자체가 너무 싫었어. 단지 그뿐이야. 혹시나 부담을 가지고 있었다면 미안해. 학교 친구들에게도 그 점을 분명히 다시 말해서 수진이 네가 감정적으로 불편한 마음을 가지지 않도록 할게. 어쨌든 이 편지로 너에 대해서 조금 알게 된 것 같아서 좋다. (이 말 부담스러웠다면 취소할게) 우리 아버지가 그랬거든. 친구는 많을 필요 없이 정말 진정한 친구 한두 명만 있으면 된다고. 나 역시 그런 생각이야.

'우리 친구 할래?'

굳이 말은 아니라도 이렇게 편지로 가끔 서로 대화하고 고민을 얘기하는 친구. 그럼 답장 기다릴게.

From 태성

친구. 수진은 그제까지 친구라는 것을 생각해 본 적 없었다. 생각조차 해본 적이 없었기에 필요성 또한 느껴본 적 없다. 이렇게 편지를 주고받으며 고민을 얘기하는 것이 친구라면 나쁠 건 없다는 생각이다. 태성이는 참 착한 친구다.

태성과 지애와는 다른 반이었던 우진은 그날 이후 쉬는 시간, 점심시간은 물론 자신에게 허락된 모든 시간을 활용해 지애 옆을 지켰다. 지애 역시 일말의 가능성과 조그마한 틈조차 보여주지 않는 태성에게 지쳐갔고 우진에게 마음을 열어갔다.

'내가 태성이에게 한 번만 봐줬으면 하는 심정을 우진이는 매번 느끼고 있는 거겠지.' 우진은 그 이후로도 가끔 태성과 지애가 입을 맞추고 있던 것이 떠오르곤 하지만 다시 애써 지워낸다. 태성의 잘못이 아니라는 것은 일찌감치 알고 있었다. 지애가 일방적으로 태성을 좋아했고, 그날 키스를 훔치려 했던 것도 태성이 아닌 지애였다는 것도 알고 있었다.

지애는 의식적으로라도 우진의 곁에 머물렀다. 좋아하는 감정보다 연민의 감정이 컸지만, 태성으로 인해 떨어진 자존감과 비참함을 우진이 채워줬다. 곧 고등학교를 졸업하는데 이렇게까지 자신을 좋아하고 지켜주는 우진에 대한 보답 차원도 있었겠다. 가끔씩 우진이 주체하지 못한감정으로 다가올때면 여전히 애써 밀어내고 있지만 같이 지내다 보면 그 것 또한 받아들일 수 있지 않을까 생각했다.

일단 내가 살고 봐야 한다.

내가 먼저가 돼야 우진에게도 사랑을 줄 수 있겠다.

지금은 내 자존감을 찾는 것이 우선이다.

사랑으로 받은 상처는 사랑으로 보상 덧 씌운다고 한다.

안다. 이기적인 생각이다. 우진을 고려하지 않은 처사다. 하지만 지애로서는 이 방법밖에 없다. 지애의 노력에도 불구하고 우진을 향한 지애의 감정은 미적지근한 상태에서 더 진보되지 않았다. 그리고 어느새 졸업식을 맞이했다.

지애는 태성에게 '나는 안 되는 것이었는지?' 마지막으로 묻고 싶은 마음을 꾹 참고 우진과 사진을 찍었다.

지애는 Y를 하루빨리 떠나고 싶었다. 유명 배우가 돼 모두를 놀라게 해 줄 생각이었다. 특히, 태성이 땅을 치고 후회하고 만들고 싶었다. 물론 옆에는 우진이 있었다. 우진은 지애를 따라 함께 서울로 올라갔고 극단에 들어갔다. 나름대로 허드렛일부터 시작하며 열심히 살아냈다. 1년 2년 반복적인 생활이 길어갔다. 시간이 약이라고 했던가. 그렇게 태성은 지애의 머리속에서 잊혀갔다. 그러던 와중에 성우를 가지게 됐다. 극단에는 지애의 부모님이 편찮으셔서 내려간다고 에둘렀다. 지애는 우진이 입대한 사이 성우를 낳았지만, 부모님에게 성우를 맡기고 다시 도망치듯 서울로 올라갔다.

지애는 차츰 유명한 연극을 하나 맡더니 영화 관계자에 눈에 띄어 간간이 영화도 찍으며, 이름을 알려갔다. 우진이 제대했을 때 지애는 텔레비전에도 모습을 비출 만큼 꽤나 유명해져 있었다. 우진은 지애에게 누가 되지 않도록 Y에 내려가기로 했다. 우진은 하루 이틀 술을 찾는 날이 잦아지더니 거의 날마다 술을 마셨다. 지애에게 연락이 닿지 않는 날도 점점 늘어갔다.

성우는 평소 아버지가 무척 좋았지만 술 마신 아버지는 정말이지 끔찍이도 싫다. 술 마신 아버지는 듣고 또 들었던 예전 얘기들을 늘어놓았다. 대부분은 인기 꽤나 있었다는 학창 시절 얘기다. 일단 얘기를 시작하면 앉은 자리에서 담배 한 갑을 연거푸 피워댔다. 그때마다 성우는 무슨 일이 있더라도 술과 담배는 하지 않겠다고 다짐하고 또 다짐했다.

33

"성우야 괜찮아?"

"응. 뭐 안 괜찮을 것도 없지. 매번 들었던 얘기야. 근데 그분들이 예슬이 어머니와 문방구 아저씨였다니 이건 좀 충격이다. 뭐 어쨌든 그분들이 잘못한 것은 하나도 없으니까. 엄마도 그렇게 생각하고 있고. 그저 아버지에게 미안함뿐이라서. 빨리 다시 만나고 싶다고.."

"그렇구나 몰랐던 사실이네"

"응 내가 굳이 얘기를 안 했으니까, 당연하지."

"야, 예슬인데?"

"빨리 받아봐."

"응, 강예슬. 너 어디야? 괜찮아? 아주머니 아프시다며?"

"뭐야, 어떻게 알았어? 그건 그렇고 나 물어 볼 게 있어 문방구 아저씨 너희 삼촌이라고 했지?"

"무슨 얘기야 갑자기 전화해서는."

"너 문방구 아저씨에게 우리 만나기 전에 우리 얘기 따로 하거나 한 적 있어?"

"알아듣게 얘기를 해야지. 내가 생각을 하든가 답변을 하든가 하지. 좀 진정하고 얘기해봐, 강예슬."

"나, 지금 좀 중요한 일이야. 그러니까 내가 전학을 오고 나서 나에 대해서 삼촌에게 미리 얘기한 적이 있었냐고."

"그걸 내가 어떻게 기억해.."

"최명주!!"

"아 알았어. 솔직히 자세히 기억나지는 않나. 하지만 분명한 것은 문방구 아저씨가 삼촌이긴 하지만 6촌쯤으로 거리가 있어. 내가 평소에 만나서 뭘 얘길하고 그런 사이는 아니었을 거란 말이지.”

“확실해?”

“응, 6촌이 확실하냐고 묻는 거라면 확실해. 평소에 교류가 없었던 것도 그리고 지금 연락이 끊긴 것도 확실해.”

“그나저나, 너 어디야? 아주머님 아프시다며?”

“그건 어떻게 알았어?”

“민석이가 지금 Y에 있을걸, 거기서 우연히 들었대.”

“그렇구나, 지금 나도 많이 혼란스러워. 내가 가서 나중에 설명해줄게. 고마워.”

“야!!!!!”

“아, 뭐야 얘네들. 도대체 갑자기 Y에 가서 뭐하고 있는 거야. 자기들 할 말만 하고 끊어버리는건 또 뭐고.”

“그나저나, 그 문방구 아저씨가 너희 삼촌이었어?”

“응, 맞아. 근데 그쪽 집안하고 이제 연락 안 해. 어렸을 적에는 제사도 같이 지내고 했는데, 무슨 일이 있었는지 아예 연락조차 안 하는 거 같더라고.”

“뭐, 특별하지는 않다. 돈 때문이겠지. 부모 자식이나 형제지간에도 돈 때문에 의절하고 지내는 게 흔한 세상인데 뭐.”

“응, 나도 돈 때문이라고는 얼핏 듣기는 했어.”

예슬은 한 번도 이 시간에 기차를 타본 적이 없다. 출발 시간까지는 30분 정도 남았다. 근래 있었던 일들을 대합실에 앉아 머릿속으로 천천히 생각해봤다. 다시 생각해도 말이 안되는 일들이다. 어디서부터 어떤 것들을 생각해야 할지 머릿속이 더 복잡해지는 느낌이다. 기차 시간이 다 돼 자리를 찾아 억지로 눈을 붙였지만 잠이 오지는 않는다. 출발 전 아쉬움에 몸서리치며 창밖으로 손을 흔들던 커플 중 반쪽은 상대방이 보이지 않는 거리까지 다다르자 마치 예슬의 지금 상황을 재현하듯 표정이 급격히 어두워졌다.

벌써 많은 시간이 흘렀지만 Y 버스정류장은 시간이 멈춘 것 같이 예전 그대로의 모습이다. 집까지 걸어가기로 했다. 예전 기억을 떠올리면 절대 걸어갈 수 없는 거리였지만, 긴 세월만큼 자란 지금 걸음이면 그리 오래 걸리지 않을 수 있을 것 같았다.

천천히 걸어가며 십오 년 동안 상실된 기억을 천천히 되짚어보고 싶은 생각도 있었다. 예전에 비해 젊은 친구들을 보기 힘든 Y에 처음 보는 젊은 처자가 거리를 걸어 다니는 것이 신기했던지, 혹은 예슬을 어렴풋이 알아보는 건지 이따금씩 쳐다보는 눈빛이 느껴지는 것도 같았다.

Y는 어쩜 이렇게 하나도 변하지 않을 수 있는지가 놀라울 정도로 기억하고 있는 그대로의 모습을 갖추고 있었다.

불필요한 포장도로가 즐비하게 된 것을 제외하면 도롯가에 위치한 옷가게, 음식점, 분식점, 미용실, 전부 그대로다. 그때와 변한 것이 있다면 엄마에 대한 복잡한 감정뿐이다. 한참을 걷다 보니 초등학교가 나왔다. 학교 다닐 때는 정말 넓어 보이던 운동장도 뛰어간다면 금방 끝까지 닿을 것만 같은 크기에 뛰어볼까도 생각했지만 이내 그만뒀다. 학교도 한 바퀴 돌아볼까 생각했지만 딱히 많은 기억을 차지하지 않았기에 그대로 운동장을 가로질러 나왔다.

학교 앞에는 문방구가 여럿 있다. 하나밖에 없는 초등학교 앞 문방구들이어서 그런지 다들 사이가 썩 좋지는 않았다. 전학 첫날 학교를 마치고 운전기사 아저씨를 기다리고 있을 때 널따란 거리를 가운데 둔 문방구 주인 아저씨들의 멱살잡이를 구경했던 기억도 있다.

예슬은 가끔 기사 아저씨가 늦을 때 명주와 함께 정문에서 가장 가까운 문방구에 잠시 머물곤 했다. 저마다 갖가지 불량 식품과 뽑기로 학생들을 유혹하고 있는 와중에 여기 문방구에서는 불량 식품 따위를 일절 팔지 않고 학용품과 일부 간식거리만 취급했다. 명주가 삼촌이라고 불렀었던 것 같긴 한데 기억이 정확하지는 않다. 그리고 가끔 갈때마다 아저씨는 냉장고에 가득 찬 바나나 우유를 꺼내주고는 재밌는 이야기를 많이 해줬었다.

"예슬아, 오늘은 흰 우유도 들여다 놓았는데 한번 먹어볼래?"

"좋아요! 아저씨 그런데 아무에게나 뭐 얻어먹고 그러지 말라고 했는데, 괜찮아요? 이거 돈 드려야 하는 거 아니에요? 얼마예요? 저 돈 많아요. 아저씨."

"이거 섭섭한데, 아저씨 모르는 사람이야?"

"아니요, 아는 아저씨요."

"그래 근데 정확히 말하자면 나는 예슬이를 아주 많이 좋아하는 아저씨란다. 이제 모르는 아저씨 아니니까 괜찮지?"

"네."

"그래, 언제든지 아저씨가 필요하면 찾아와~."

"네, 아저씨."

생각해보면 이 아저씨는 처음 본 순간부터 조금 특별했다. 무언가 필요 이상으로 친절을 베풀어 줬던 것 같다. 모든 아이와 웃으면서 지내는 것 같지 않은데 유독 예슬에게 잘해줬다. 이상하고 불편했지만 왠지 모를 익숙함이 낯섦을 밀어냈다.

예슬은 예전 그 기억이 머릿속에 맴돌아서인지 잠시 문구점에 멈춰 섰다.

지금은 없어졌으리라고 생각한 뽑기를 유심히 보고 있었다. 막상 해보지는 않았지만 친구들이 뽑은 것들을 자랑하는 걸 보고 궁금했던 것 중 하나다. 주머니를 뒤져 보니 마침 동전이 있어 한 판 만 해보기로 했다.

"이거 한번 하는데 얼마예요?"

"강예슬?"

"안녕하세요. 아직도 그대로 있으시네요, 저 누군지 알아보시겠어요?"

"언제 이렇게 컸대? 이제 완전히 숙녀가 다 됐네! 그럼 내가 예슬이를 잊어버리다니 그건 있을 수 없는 일이지."

분명 15년 전에도 있었던 것 같은 가게 앞 평상에 잠시 걸터 앉았다. 고개를 둘러보니 아저씨도 그렇거니와 길가에 내어진 오락기 두 대와 바나나 우유와 딸기 우유만이 가득 찬 냉장고, 모든 것들이 어렸을 적 기억하고 있는 그대로 있었다.

"예슬아, 바나나 우유 마실래?"

예슬은 바나나 우유를 받아들었다. 정말 어렸을 적에는 많이 마셨다. 집 냉장고에도 한쪽에 항상 가지런히 정렬돼 있었다. 생각해보면 내가 좋아한다고 얘기한 적이 없었던 것 같은데 항상 유통기한 넉넉한 바나나 우유가 채워져 있었다. 서울로 올라와서는 한 번도 마시지 않았던 바나나 우유에 빨대를 꽂고 쭉 들이켰다. 맛도 예전 기억하던 그대로였다. 예슬은 자기도 모르게 미소를 지었다.

아저씨는 지금까지 쭉 혼자 여기 문구점을 지키고 있었다고 했다. 건강하게 그을린 까만 피부에 딱 벌어진 어깨와 훤칠한 키에서 나오는 남자다움과 어울리지 않은 환한 미소와 몸에 밴 듯한 친절함이 굳이 잘생긴 얼굴까지 얘기하지 않아도 충분히 여자들에게 인기가 있을법한데 내내 혼자 지내고 있는 것 같다.

물론, 결혼은 했는지 가족이 있는지 등을 물어본 적은 없다. 가족을 마주친 적도 가족 얘기를 들은 적도 없었기에 혼자 생각하고 결론 내렸다. 아저씨는 그 이후로도 이곳을 떠난 적이 없다고 한다. 어찌 됐든 그렇게 가까웠던 사이라고 생각되지 않는 아저씨지만 얘기를 하다 보니 예슬은 자신도 모르게 어린 시절로 안내받는 것 같은 느낌이 들었다.

인사를 드리고 집을 향해 발걸음을 옮겼다. '기억하기 싫어서였을까, 기억하고 싶지 않아서였을까?' 가는 길에 몇번이고 멈칫하며 방향을 곱씹었다. 저 멀리 감나무가 보이는 것이 맞게 찾아 온 것 같다. 늘 혼자였던 어린시절의 예슬은 이 나무에 기대 말을 걸곤 했다. 그럴때면 예슬은 왠지 모르게 위로 받는 느낌이 들었다.

엄마가 예전에 이 나무에 대해 얘기해줬던 기억이 있다. 나무가 돈이 엄청 많아서 세금도 내고, 장학금도 준다 했다. 그런 말도 안 되는 것들에 놀랐던 것보다 엄마가 자신에게 이렇게 길게 무언가를 얘기하고 있다는 사실에 놀라 그저 듣고만 있었던 기억이다. 나중에 알고 보니 그때 감나무 이야기는 전부 진짜였다. 엄마가 뜬금없이 이야기를 건네온 터라 더 선명하게 기억하고 있었는지도 모르겠다.

부잣집 할아버지가 아무도 없이 홀로 숨을 거둘 때 자신의 재산을 전부 나무 이름으로 기부하고 관리를 나라에 부탁했다고 한다. 그 얘기를 듣고 나서부터 더 나무에 대해 애착이 갔다. 마치 혼자였을 할아버지가 예슬을 위로해 주는 것 같은 느낌이었다.

어느새 집 앞에 섰다. 삭막하고 따뜻함이라고는 전혀 없던 곳이지만, 어찌 됐든 어린시절을 보낸 곳인 만큼 예슬을 다시 한 번 옛 기억 속으로 옮겨갔다.

전학을 오고 얼마 되지 않은 날이었다. 머리에 열이 나기 시작하더니 급기야 먹은 것을 다 토해내기 시작했다. 워낙 잘 먹지도 않았던 때라 몇 번 토하고 나서부터는 계속해서 헛구역질을 반복했다. 원래 배가 고파도 딱히 참고 마는 예슬이었지만 그날따라 허기가 져 먹었던 삶은 계란이 영 잘못됐던 모양이다. 알고 보니 식중독이었다. 예슬은 모든게 엄마 탓이라 여겼는지 엄마를 쏘아보며 눈물을 흘렸다. 아빠는 이번에는 꽤나 중요한 출장이라며 운전기사 아저씨까지 데리고 갔다. 그러는 사이 예슬은 속을 몇 번이나 더 게워냈다. 안절부절못하던 수진은 어디에 전화를 하는 것 같더니, 이내 희미하게 차 엔진 소리가 들렸다.

"무슨 일이야, 수진아?"

낯선 남자가 다급한 목소리로 들어섰다. 이제 갓 이사 온 여기에 수진이 아는 사람이 있을 리는 없었다.

"모르겠어. 예슬이가 새벽에 일어나더니 계속 토를 해."

울먹이는 목소리인 것 같았으나 정신없이 몇 번이나 속을 게워내고 있던 예슬로서는 엄마의 울먹이는 목소리 따위는 중요치 않았다.

"지금 어디 있어?"

어디선가 나타난 그 남자는 집 앞 감나무를 끌어안고 토를 하고 있던 예슬을 둘러 업고 서둘러 차로 향했다.

여기까지가 그날의 기억이다. 지금 생각해보면 한 손으로 나를 들쳐 올릴 만큼 힘이 셌던 그 날의 그 아저씨는 어딘가 낯익은 목소리에다 생김새였다.

'엄마는 여기 연고도 없는 곳에 누구한테 전화 한 것일까?'

내 이름까지 알고 있을 정도로 둘은 아는 사이였다. 낯익은 목소리, 까만 피부에 딱 벌어진 어깨.

가만, 문방구 아저씨. 전학 온 일주일이 지나고 팔레트를 두고 온 탓에 사러 간 문방구에서 문방구 아저씨는 예슬의 이름을 불렀었다. 밖에서 보기만 했지 예슬이 무엇을 사러 문방구에 들른 것은 그날이 처음이었다.

예슬은 바로 문방구로 향했다. 조금 전 문방구를 지나온지 길어야 삼십 분이다. 다시 찾아간 문방구 앞에서 예슬은 몸이 떨렸다.

개인 사정상 잠시 가게를 쉽니다.

"민석아, 너 Y라며. 어디야 우리 좀 보자." 명주와의 통화를 막 끝낸 예슬은 자신의 확신에 한층 더 무게를 더한 목소리로 민석을 다그쳤다.

"응? 강예슬?"

"나도 Y야. 일단 자세한건 만나서 얘기하자. 내가 너 있는 쪽으로 갈게. 지금 어디있어?"

"Y 병원 알지? 거기 뒷골목에 있는 모텔에 방금 체크인하고 들어서던 중이었어. 병원 정문 앞에서 보자."

Y 병원은 Y에 있는 유일한 병원이라지만 5층짜리 한 개 병동으로 서울에서는 일반 병원 크기보다 작은 규모다. 지금은 Y에 사람 자체가 별로 없어 장사가 예전만 못하다. 그 때문에 병원장이 십 년 전 헐값에 처분했다.

"예슬아, 여기야." 병원 앞에서 먼저 기다리고 있던 민석이 멀찌감치 예슬이 오는 걸 발견하고는 손을 흔들었다.

"그나저나 무슨 일이야, 네가 Y를 다 오고, 할 얘기는 뭔데?"

"너, 오늘 이상한 얘기 들었다며, 그것 좀 말해줘 봐"

"이상한 얘기?"

"네가 오늘 찻집에서 들었다는 성우네 아빠 엄마, 명주네 삼촌. 그리고 우리 엄마 얘기."

"아, 그거 말하는구나. 듣고 나도 놀라긴 했어. 아 그나저나 문방구 아저씨가 명주 삼촌이었구나. 완전히 잊고 있었네"

민석은 찻집에서 듣고 친구들에게 전화로 건넸던 그 얘기들을 다시 한번 찬찬히 꺼내 들었다.

"생각해보면 부모님들도 우리와 크게 다르지 않은 삶을 사셨어. 우리 아버지도 그렇고 다들 한때는 뜨거운 청춘과 꿈을 간직하고 있었다는 사실을 너나 나나 애써 생각하지 안고 살고 있었던 건 아닐까. 살아가면서 그 꿈과 가치관이 가족의 행복으로 변해갔을 뿐 그 분들도 여전히 뜨거울 수 있을 텐데 말이지. 자식을 통해 그 꿈들을 대리 만족하고 있을 수도 있고."

"그래? 내 경우는 좀 다르긴 한데 말이지. 아무튼 그걸 차치하고서라도 거듭된 희생은 대게 소설처럼 아름다운 결말로 끝나지 않아. 가족뿐 아니라 모든 관계가 마찬가지야. 서로가 서로에게 기대하고 만족하는 관계에서 이상적인 것이라고는 없다고 생각해. 스스로가 본인의 키다리 아저씨가 돼야 해."

"키다리 아저씨?"

"응, 참 그 얘기를 하려고 만나자고 했어. 사실 나 오래전부터 키다리 아저씨라고 본인을 소개한 분에게 정기적으로 후원을 받아왔어. 어떤 기관을 통해서 정식으로 받은 건 아니고, 어떻게 알았는지 편지를 보내오더라고, 그리고 오늘 그 아저씨가 문방구 아저씨, 명주 삼촌이라는 걸 알게 됐어."

예슬은 큰 결심을 한 표정으로 지난 여름 아저씨로부터 온 메일을 민석이에게 보여주기 위해 노트북을 켰다. 예슬이 회사를 그만두게 된 결정적 이유가 된 메일이기도 하다. 벌써 수십 번은 읽고 또 읽어 내용까지 외울 정도다.

Dear 예슬

오랜만에 편지를 쓰게 되는구나. 먼저, 이렇게 건강하고 예쁘게 성장해줘서 정말 고마워. 가끔 소식을 접할 때마다 생각했던 그 이상으로 열심히 행복하게 잘 살아내고 있는 것 같아서 정말 그저 고마울 따름이야. 예슬이가 누구보다 똑똑한 걸 알고 있었기에 잘 살아낼 것이라 믿고 있었어. 오늘은 꼭 전해야 하는 소식이 있어 이렇게 오랜만에 편지를 쓰게 됐어. 오랜만에 편지로 소식을 전하는데 좋은 이야기면 나았을 텐데 그러지 못해서 기분이 좋지가 않네. 아마 다시는 듣고 싶지 않은 이름일 테고, 기억에서 지워버렸을 수도 있겠다. 엄마, 수진이가 지금 많이 힘들어하고 있어. 지금이라는 것이 참 그렇구나, 지금 그 상황이 많이 악화됐다고 표현하는게 맞겠구나. 이것만은 확실히 말해줄 수 있어. 엄마는 누구보다 예슬이를 사랑하고 있어. 한 번도 예슬이를 생각하지 않은 적이 없었어. 예슬이가 태어날 때부터 계속해서 말이야.

진작에 자신에게서 떠나보냈어야 했는데, 아마 욕심이었을 거야. 보는 것만으로 행복했을 거거든. 그렇지만 지금 더 이상 지체할 수 없을 정도로 엄마의 상태가 심각한 수준이 됐어.

나중에 엄마가 내가 이런 편지를 쓴 것을 알고 난다면 무척 화를 낼지도 모르겠구나. 선택은 예슬이 몫이야.

From 키다리 아저씨

'날 위해 떠났다.'

무슨 말도 안 되는 소리지. 떠나온 것은 예슬이다. 예슬의 기억 속 엄마는 단 한 번도 따뜻한 적이 없었다.

'태어나줘서 고마워, 내 딸.'

졸업식장에서 엄마가 건네온 글귀가 귓가에 맴돈다. 예슬은 거듭 생각해봐도 엄마에게 사랑을 느낀 적이 없다. 기억 속 엄마는 단 한 순간도 상식적인 엄마의 역할을 한 적이 없다. 많은 것을 바라지도 않았다. 그저 어렸던 그 시절 세상에 혼자 남겨진 기분을 느끼지 않길 바랄 뿐이었다. 예슬은 자신이 외롭고 힘들기 위해 태어난 것이 아니라는 걸 어느 누구라도 제발 알려줬으면 했다. 단지 그것뿐이었다.

예슬은 고등학교만 졸업하면 짐을 싸서 바로 서울로 올라갈 생각이었다. 엄마라는 사람이 뭐라고 하든 안 하든 보는 앞에서 그대로 짐을 챙겨 나설 결심은 이미 오래전부터 했다. '엄마가 물어보면 뭐라고 대답하지?'라고 잠시 고민도 했지만, 그냥 아무 대답도 안 할 참이었다. 여느 때와 같이 쓸데없는 걱정이었다. 친구들과 밥을 먹고 서둘러 들어선 집은 고요한 정적만이 예슬을 반겼다. 마치 편안히 짐을 싸서 정리하라고 배려해준 것처럼, 집은 그렇게 조용하고 깔끔했다.

대학생이 된 첫해부터 어떻게 알았는지 크리스마스 날이면 키다리 아저씨 이름으로 예슬 앞으로 편지가 왔다. 편지는 늘 꽤 적지 않은 돈이 함께 동봉돼 있었다. 돌려보내고 싶었지만, 이름도 주소도 없었기에 딱히 방법이 없었다.

예슬은 민석에게 키다리 아저씨로부터 온 마지막 편지를 보여주고 어제 이모할머니라는 분에게 받은 전화를 이어서 꺼냈다.

"여보세요?."

"여보세요, 혹시 예슬이니?" 수화기 너머로 머리가 희끗희끗한 할머니 목소리가 들려왔다.

"네, 제가 예슬인데요, 누구신지."

"예슬이가 맞구나. 예슬아, 할미다. 할미야. 미안하다 미안해." 수화기 너머로 울먹거리는 목소리가 전해졌다. 예슬은 어떻게 반응해야 할지 몰라 수화기를 잡고 있었다. 목소리는 본인을 이모할머니라고 소개했다.

"네, 제가 예슬인데요."

"응, 씩씩하게 잘 크고 있지? 죽기 전에 우리 예슬이 목소리만이라도 꼭 듣고 싶었는데, 이세 갈 때가 됐나 보다. 너무 좋구나. 우리 예슬이, 엄마가 많이 원망스러웠지." 예슬은 계속 말이 없었다. 딱히 할 말이 생각나지 않아 그대로 가만히 듣고 있었다. 미안하고 보고 싶었다는 말을 몇 번이나 되뇌던 이모할머니라는 분은 한국에는 잠깐 들어왔다고 한다. 전하는 말로는 피붙이라고는 하나 있는 엄마의 상태가 많이 악화됐다는 소식을 듣고 미국에서 급히 귀국했다고 한다.

"예슬아, 할미가 다 안다. 우리 예슬이 살면서 얼마나 힘들어했을지 안다."

"……."

아니 아무도 모른다. 예슬은 자신이 어떻게 커왔는지 어떤 생각을 하면서 자라왔는지 감히 상상할 수 없을 것이라고 말하고 싶었다. 지금도 철저히 혼자다. 왜 갑자기 다들 이러는지 이제는 화가 나려고까지 한다.

이모할머니는 예슬이 지금 무슨 생각을 하고 어떤 감정인지 아랑곳하지 않고 하던 얘기를 이어나가더니 엄마한테 같이 가보지 않겠냐는 말까지 다

다랐다. 살면서 한 번도 본 적 없는 할머니와 함께 이제 십수 년 동안 본 적이 없고, 보고 싶지 않았던 엄마를 보러 가자는 제안에 선뜻 대답할 사람은 그리 많지 않을 것이다. 예슬은 계속해서 아무 말 없이 수화기를 잡고 있을 뿐이었다. 할머니는 왠지 힘겨워 보이는 숨소리만 몇 초간 내 쉬더니 어떤 결심이 선 것 같은 목소리로 어머니 아버지에 대한 얘기를 시작했다. 원래 만나서 들려주려 했다는 그 이야기들은 예슬의 기억과는 많이 달랐고 믿을 수 없을 만한 충격으로 예슬의 머리를 때려냈다.

할머니의 말 대로라면 예슬의 아버지는 단 한 순간도 엄마를 사랑한 적이 없었다. 예슬 아버지의 결혼 목적은 오로지 돈이었다.

아버지는 결혼 후 집에 있을 때면 오로지 서재에 틀어박혀 있거나 혹은 취해있었다. 그나마 예슬이 태어나기 전에는 취기로라도 수진에게 관심이란 것을 비쳤지만, 예슬이 태어나서부터는 실수를 하지 않기 위해 그마저도 완전히 끊어버렸다. 예슬은 키다리 아저씨로부터 마지막 편지를 받았을 때보다 더 혼란스러웠다.

'이 할머니 말대로라면 아빠는 내가 태어난 것을 실수라고 생각했다는 건가?'

예슬은 두근거림과 메스꺼움까지 동반하는 알 수 없는 이 감정을 도대체가 형언할 수 있는 단어가 있는지조차 궁금하다.

'정말 이 말들이 다 사실이라면 내가 지금껏 살아온 것은 무엇이며, 나를 지금껏 살아오게끔 지탱해진 증오의 대상은 누구를 향해야 하는가?'

'만약, 사실이라면. 방금 들은 것이 전부 사실이라면 나는 어떻게 되는 거지?'

차라리 몰랐으면 좋았을 걸 그랬다. 세상을 살다 보면 아무리 진실이라고 해도 모르는 편이 모두에게 더 나은 것이 있다.

예슬은 키다리 아저씨의 마지막 편지를 읽어보지 말고 이 알지도 못하는 이모할머니라는 분의 전화를 중간에 끊어버렸으면 좋았을 걸 하고 생각했다. 예슬은 이제 누구 하나라도 원망할 곳이 없다. 모든 걸 알게 된 이 순간 마침내 쌓이고 쌓인 것들이 곪고 곪아 예슬을 산산이 깨뜨려 버렸다.

"강예슬, 너 괜찮아?"

"응, 괜히 부끄럽네. 평생 감추고 싶었던 것들인데, 이제 전부 다 밝혀져 버렸다."

"부끄럽다니, 난 그저 네가 부럽기만 해. 아 오해는 하지 마, 강예슬. 주도적으로 살아내왔던 그 강인함이 부럽다는 거야. 알겠지만, 나는 그저 시키는 대로 흘러가는 대로 맞춰지는 것에만 익숙해있거든."

"아, 그렇지. 너무 내 얘기만 했구나. 요즘 어떻게 지내고 있어?"

"뭐 괜찮아, 요즘같이 잠도 잘 자고 마음이 편한 적이 없거든. 나는 신경 안 써도 돼. 예슬아. 다른 어떤 배경이나 모든 걸 차치하고서라도 난 강예슬 그 자체만으로 대단하다고 생각해."

"너무 띄워주는 거 아냐?"

"사실이니까."

"민석아, 나랑 우리 엄마한테 같이 가주지 않을래? 나 사실 좀 무섭거든. 솔직히 아직 엄마를 만날 준비가 안 된거 같아."

"응, 나야 뭐 남는 게 시간이니까, 너만 괜찮다면 얼마든지."

"야, 뭔가 내가 알던 민석에서 약간 다른 분위기가 나는데."

"응, 나도 많이 깨닫고 새로운 나로 거듭나려고 발버둥 치고 있는 단계거든."

예슬은 민석과 함께 집으로 다시 향했다. 곧 도착한 집에서는 온기가 느껴지지 않았다. 하루 이틀 비운 모양새가 아니다. 곳곳에 쌓인 먼지로부터 스산함까지 전해왔다. 예슬은 곧장 다락방으로 올라갔다. 편안함이라고는 느낄 수 없었던 집에서 다락방은 예슬의 어린 시절 비밀 공간이었다.

자연스럽게 집에서 혼자 노는 게 익숙해질 때쯤, 아마 그날도 아버지가 출장을 가고, 엄마도 뒤이어 사라진 그 다음 날이었던 것 같다. 온갖 잡동사니가 먼지와 엉켜 아무렇게나 놓여있는 다락방에서 이것저것 뒤적거리며 시간을 보냈다. 방 모퉁이에 자그맣게 자리 잡은 앨범이 눈에 띄었다. 여자아이 사진으로 빽빽이 채워진 앨범은 해맑게 웃는 갓난아이 모습을 시작으로 교복을 입은 사진까지 순서대로 나열돼 있었다.

앨범은 그대로 있었다. 앨범을 펼치니 그때 봤던 예쁜 여자아이의 사진이 예슬을 반겼다. 미처 몰랐지만 이제 자세히 살펴본 사진 속 여자 아이는 예슬이라고 해도 믿을 정도로 예슬과 똑 닮아 있었다. 앨범 속 사진 한장 한장 넘기던 예슬의 손가락은 얼마 지나지 않아 멈칫했다. 사진 속 여자 아이는 처음 몇 장을 제외하고 더 이상 웃지 않았다.

"예슬아, 여기 아주머니 안 계신 것 같아. 꽤 오래 집을 비운 것 같은데, 다른 계실 낭만 한 곳 아는데 없어?" 다락방 아래에서 예슬을 기다리던 민석이 소리쳤다.

"응."

"어머니, 아프다고 하셨잖아. 병원에 계시지는 않을까?"

예슬은 엄마에 대해서 아는 것이 전혀 없다는 것이 새삼스러웠다. 엄마가 좋아하는 음식은 무엇인지. 취미는 무엇인지, 심지어 고향이 어디인지 엄마에 대해서 아는 것이 전혀 없었다.

"그런가, 난 정말 아무것도 모르겠어." 예슬이 순간 어찌해야 할지 모르겠다는 표정으로 고개를 숙였다.

"잠깐, 그 문방구 아저씨가 키다리 아저씨라고 했지? 그 아저씨가 아주머니가 아프신 걸 알려주셨다고 했고"

"응."

"문방구 아저씨 이름이 태성이었어. 맞아" 민석은 뭔가 생각난 듯 혼잣말처럼 말했다.

"응, 맞아. 왜 생각나는 거 있어?"

"미처 말 못 한 게 있었는데, 아까 찻집에서 영훈이 아버지와 그 주인아저씨가 태성이 병원을 다시 인수했다고 했거든."

34

수진은 양손으로 머리를 감싸 쥐었다. 무슨 일이 있었는지 애써 끄집어내려 했지만 도통 생각이 나지 않는다. 몸을 떨게 만드는 기분 나쁜 한기와 습기 가득한 냄새가 생각을 방해한다. 한 가지 확실한 것은 창문이라고는 보이지 않는 이곳은 내가 있어야 할 곳이 아니다.

'맞아, 태성이. 어제 태성이하고 예슬이 얘기를 하고 있었는데..'

어제는 태성을 만나기로 한 날이다. 수진은 몇 해 전부터 크리스마스면 태성을 만나 시간을 보내고 있다. 태성은 아직 혼자다. 학창 시절에도 인기가 넘쳤던 태성이 정도면 충분히 멋진 여자와 결혼하고 가정을 꾸려야 했다. 언젠가는 진지하게 왜 아직까지 혼자냐고 물었지만 그저 웃어 보일 뿐 대답이 없었다. 더 물어보지는 않았다. 수진은 그저 자신을 지금까지 챙겨주는 태성이 한없이 고마울 뿐이다.

"수진아, 일찍 일어났네."
"응, 태성이구나. 여긴 어디야, 내가 왜 여기에 있어?
"응, 여기 Y 병원인데 잠깐 영양주사 맞으러 온 거야." 태성은 마치 수진의 질문을 기다렸다는 듯이 대답을 꺼내 답했다.
"아, 수진아. 오늘 손님 오기로 했어."
"손님?"

수진의 아버지는 차일피일 미루던 병원을 다녀오고 생각이 많아졌다. 잠시 정신을 잃을 정도로 잦았던 가슴 통증의 원인이 폐암 때문이었다. 마음을 단단히 먹어야 한다. 누구를 탓할 수 없다. 탓할 시간에 상황을 대비해야 했다. 얼마 남지 않은 삶, 지독히도 치열했기에 오히려 담담한 자신이 쓸쓸하기까지 하다. 회사는 지금까지처럼 어떻게든 굴러갈 것이다. 최근 새롭게 진행한 사업 역시 본궤도에 올라 캐시카우 역할을 톡톡히 해내고 있다. 전문 경영인 체제를 도입한다면 회사와 직원들에게는 오히려 더 좋은 일일지도 모른다.
이번 사업만, 정말 이번 사업만 끝내면 수진이와 함께 있어야지 하던 것이 어느새 이십 년이 흘러버렸다.
어린 시절부터 크고 작은 잔병을 붙이고 살았던 수진은 늘 걱정이었다. 수진의 일거수일투족을 부탁했던 운전기사 진수로부터 전화라도 울리면 가슴이 철렁했다. 혹시라도 수진에게 무슨 일이 있을지 모른다는 생각인데, 불안한 예감은 틀린 적이 거의 없었다.

커가면서 조금씩 건강한 모습을 보여주던 수진은 어디서 어떤 일이 있었는지 마음 한구석에 큰 병을 들여놓았다. 그리고 병은 수진에게서 그 크기와 깊이를 키워 갔지만 병원에서는 원인을 알 수 없다는 얘기만 할 뿐이다.

예슬은 Y로 이사 후 그나마 좀 나아지는 것 같더니 이내 불쑥불쑥 극한까지 치닫는 불안정한 모습을 보였다. 특별히 어떤 통증을 토로하진 않았지만 뭔지 모를 불안감으로부터 격렬히 맞닥뜨리는 모습이었다. 고등학교 졸업 후 그 횟수는 더 잦아졌다. 병원을 찾아도 몇 년 전 원인을 알 수 없다는 똑같은 대답만 내놓을 뿐이었다. 그러는 사이 수진의 상황은 계속 악화돼 갔고, 세상을 버텨낼 수 없는 상태가 되어갔다.

수진의 아버지는 세상에 철저히 혼자 남게 될 딸 생각만 하면 눈을 감지 못할 것 같다. 이제 정말 얼마 남지 않은 상황에서 수진을 부탁할 사람이 필요했고, 결정을 내려야 했다. 수진이 그나마 마음을 편하게 대하는 사람은 진수다.

결혼식이 있은 한달 후 수진의 아버지는 거짓말처럼 눈을 감았다. 진수는 운전기사 출신 사장이라는 것을 상쇄시키기 위해 정말 열심히 일했다. 수진의 임신 소식을 들은 날에도 어쩔 수 없이 러시아행 비행기에 올라탔다. 러시아 사업 건은 앞으로 회사의 지속 성장을 위해 반드시 이뤄내야 하는 동력원이다. 어렵게 MOU를 맺고 투자도 끌어내며 성공적인 계약을 진행했다. 그 무렵 수진은 자신을 찾아 온 준비되지 않은 낯선 변화에 몸부림치고 있었다. 그러지 않아도 음식에 흥미가 없어 야윈 수진이다. 임신을 했음에도 불구하고 몸은 더욱 야위었다. 그나마 먹는 죽도 게워내는 탓에 영양주사에 의존하며 버텼다. 진수는 오랜 러시아 출장에서 돌아오자마자 집으로 향했다.

'이런……'

누가 봐도 임산부가 아닌 환자의 모습을 하고 있는 수진의 상태에 진수는 충격을 받았다.

"수진아, 괜찮아?"

"나가!"

수진은 베고 있던 베개를 진수를 향해 던졌다.

"수진아, 왜 그래 진정해. 많이 아픈 거야?"

"목소리도 듣기 싫어. 다 너 때문이야. 아빠가 돌아가신 것도 내가 지금 아픈 것도 다 너 때문이란 말이야! 나가!!"

히스테리는 날로 더 심해졌다. 정신을 잃으며 민석을 알아보지 못 하는 일도 생겨났다. 아이보다 이제는 수진의 건강을 걱정해야 했다. 악몽 같은 십 개월이 지나고 예슬이 태어났다.

수진이 예슬을 가장 가까이서 보고 얘기할 수 있을 때는 예슬이 완전히 잠에 빠진 시간이었다. 수진은 새근새근 웃고 있는 예슬을 바라보는데 자신을 쏙 빼닮은 얼굴이 너무 신기하기만 하다. 줄곧 세상과 혼자 싸우고 버텨온 수진에게 있어 예슬은 살아가는 이유로 자리 잡았다. 온 힘을 다해 예슬만큼은 자신이 살아온 길을 살게 하지 않겠다고 다짐하고 또 다짐했다. 수진은 여느 엄마들과 다른 자신의 상태를 누구보다 잘 알고 있었다. 예슬에게 혹시라도 좋지 않은 영향을 끼칠까 조심하고 조심했다. 말 한마디 하려면 단어를 생각하고 고르고 골랐다

"엄마, 나 엄마 딸 맞지?"

어느 날 예슬이 해맑은 얼굴과 말투로 수진에게 물어왔다.

'그럼 당연하지, 엄마가 우리 예슬이를 얼마나 사랑하는데, 우리 딸'

머릿속으로는 분명히 이렇게 말하고 있었다.

"엄마."

다시 한번 크게 불러봤던 예슬은 다음에도 아무 대답이 없자 그 자리에서 크게 울음을 터뜨렸다. 엄마 옆에 다가설 때마다 싸늘함을 느꼈던 어린 예슬은 그날 이후 자연스럽게 거리를 넓혀갔다.

예슬이 태어나고서부터 진수는 더욱 사업에 열중했다. 집에는 거의 일 년에 한 번 들르고 있다. 진수가 다른 여자들을 품고 다니고 있는 것은 진작부터 알았다. 수진은 예슬이 상처받는 것만은 막고 싶어 진수를 찾아다녔다. 그럴 때마다 수진은 진수가 매번 다른 여자들과 함께 있는 것을 확인하고 힘없이 돌아섰다. 그만 포기해야 한다고 스스로 다그치고 생각했지만, 예슬이 상처받을 것을 생각하면 너무나 두려웠다.

예슬이 태어나고 더욱 집에 신경을 안 쓰는 거 같다는 집 아줌마의 혼잣말을 들은 수진은 아줌마에게 처음으로 심하게 화를 냈다. 이제 초등학생이 돼 상황을 이해할 수 있는 나이인 만큼 혹시나 예슬이 그런 얘기를 듣게 될까 봐 걱정이 앞선 것이다.

"허진수, 이제 그만해."

"여보. 여길 어떡해."

"더는 안되겠어. 우리한테서 떠나. 내가 원한 건 예슬이를 위한 최소한의 아빠 역할이었어, 그것만으로도 충분했어. 근데 그럴 가능성이 하나도 없다는 걸 온전치 않은 나조차도 확신할 수 있을 것 같아."

"여보, 지금 와서 이런 말이 무슨 소용이 있는지 모르겠지만 나도 최선을 다했어."

"그 최선이라는 것은 일 년에 한두 번 얼굴 비추고 다정한 척하는 것을 얘기하는 거야? 어찌 됐든 이제 더는 아니야. 예슬이도 이제 알 만큼 아는 나이가 됐어. 차라리 그 다정한 척했던 모습으로 기억하게 깨끗이 사라져."

"민수진, 너야말로 한 번이라도, 단 한 번이라도 내게 마음을 준 적 있었니?"

"내가 이런 사람이라는 거, 내가 상태가 어떻다는 거. 알고 있었잖아. 그거 전부 알고 결혼한 거잖아."

"민수진…."

"그렇기 때문에 우리 아버지가 너에게 나, 그리고 회사 맡긴거잖아. 아니면 아니라고 얘기해봐. 얘기 해보라고!"

"…."

"가지고 싶은 거 다 가져가도 돼. 돈 같은 거 관심 없어. 단 하나 절대 우리 앞에, 특히 예슬이 앞에 나타나지 마. 그리고 진실이든 거짓이든 우리 얘기 앞으로도 그 누구한테든 영영 꺼내지 마."

"수진아, 이렇게 서로 대화하는거 정말 오랜만인 것 같다. 이런 대화라는게 조금 슬프지만."

"나 지금 최선을 다해 버티고 서서 얘기하는 거야. 그리고 하나 더. 외부에 알려지는 건 무슨 일이 있어도 막아."

"예슬이는 이렇게 네가 끔찍이 아끼는지 알기는 할까."

"앞으로 절대, 절대 그 입으로 예슬이 이름 꺼내지 마!"

"그래 알았어, 말한 대로 다 할게."

제 4 장

서른다섯 다시 시작해

35

2019년 3월 18일, 공연 날.

많은 것이 변했다. 토요일 오전, 6개월 전이었다면 명주는 기억나지 않는 영수증을 손에 쥐고 머리를 쥐어뜯고 있을 시간이다. 어젯밤에는 또 무슨 일이 있었는지 혹시 실수는 없었는지 곱씹었을 테다. '아, 과일이 영 아닌데.' 성우는 어제와 다름없는 오늘을 맞이하며 기계처럼 어떤 과일이 괜찮은지 하나하나 살피고, 영훈은 단 1분이라도 더 눈을 붙이기 위해 알람을 끄고 있었을 것이다.

공연은 빼곡히 들어차면 백 명 남짓한 대학로 변두리 소극장에서 열렸다. 관객은 배우들의 친구와 가족, 지인들로 채워졌다. 별 기대 없이 평생 놀려먹을거리 하나 잡을 생각이었을 대부분의 관객은 생각지도 못한 멋진 공연에 열광적인 박수를 보냈다. 곳곳에서 찢어지는 손가락 휘파람이 터질듯한 환호와 뒤섞여 공연장을 한참 동안이나 때려냈다.

"아직도 심장이 뛴다, 봤어? 이 박성우, 아직 죽지 않았다고. 환호성 소리를 들었냔 말이다." 마지막 무대 인사까지 마치고 커튼을 젖힌 성우가 소리쳤다.

"다들 오늘 최고였어, 멋있었어. 정말 멋있었어."

"그래 박성우 최고였다. 아니 우리 전부 정말 최고였어."

"박성우, 이제 속 풀었어? 이제 꿈 이뤘냐고?"

"명주야, 그래, 나 지금 너무 좋다. 진짜 정말 좋아. 어떻게 표현해야 할지 모르겠다 이 감정."

"그래, 네가 그렇게 좋아하는 거 보니 우리도 진짜 좋다. 그리고 요즘 계속 생각하는 거지만 지금 내가 즐거운 거 하는 게 그게 꿈이고 행복인 것 같아. 김영훈 봐, 날마다 죽상이었다가 은정이 만난 후로 아주 웃음이 떠나질 않아. 이제 다음 주네?

"진짜 그러네. 진짜 영훈이가 우리 중에 가장 빨리 결혼할 줄 누가 알았겠냐. 정말 제수 씨 천연기념물 만난 거예요."

"어이구, 어이구! 또 자기들 생각대로만 말하지. 은정아, 저런 말 듣지 마. 은정이같은 애 없어 요즘. 잘하라고! 알았지? 그리고 아까 결국은 틀렸더라?"

"응, 미안, 근데 감쪽같이 않았어?"

"맞아, 오빠 티 하나도 안 났어. 그리고 나 춤 반대로 췄을 때 오빠가 다시 잡아줬잖아. 우리 오빠 최고야!"

"참나, 누가 애인 없는 사람은 살겠나." 성우가 농담이라고 미진에게 웃어 보였다.

"황민석, 너 요즘 학원 다니고 있다며?"

"나 게임 프로그래머 해보려고, 뭐 어차피 늦었는데 1년 더 늦는다고 세상 달라지겠어. 다들 그냥 하는 소리겠지만 내가 아주 실력이 괜찮데. 두고 봐 내가 곧 세상을 깜짝 놀라게 할 게임을 선보이겠어."

"민석이가 이렇게 적극적이라니, 참 많이들 변했다. 이 짧은 기간 동안 많은 일이 있었어. 그치?"

"응, 각자가 서로에게 또 자신에게 솔직해져서 그런 것 같아. 우리 30년 넘게 알아 왔지만, 최근 몇 개월 동안 알게 된 것들이 더 많잖아. 스스로도, 가족에게도, 그리고 우리 서로에게도."

"맞아, 아직도 김영훈 결혼이 믿기지 않는 것처럼."

"못 믿지, 못 믿어. 맞다, 최명주. 너 독백 부분까지 꼭 그렇게 티를 내야 홀가분했지?" 아직 흥분을 가라앉히지 못한 성우가 몸을 들썩거리며 물었다.

"무슨 소리야?"

"콕 집어서 나하고는 반대되는 얘기를 하던데?"

"너 뭐라고 했는데?"

"우리 모두 꿈이 있다고 말한다. 꿈을 가져야 한다고 말한다. 되고 싶은 모습이 있고, 이루고 싶은 것이 있으며, 가지고 싶은 것이 있다. 굳이 거창할 필요는 없다. 꿈은 그 자체만으로 설레는 생명력을 지닌다. 생각하는 그 어떤 것도 꿈이 될 수 있다. 그것이 비로소 진정 원했던 것인지는 모를 일이다. 아직 경험해보지 못한 영역이기 때문이다. 물론, 이뤘다고 가졌다고 모두 행복한 것은 아닐 것이다. 막상 생각했던 것보다 즐겁고 행복하지 않을 수 있다. 어설프게 건드렸다가 맞닥뜨리는 상실감과 배신감으로 상처를 안을 수 있다. 이렇게 보면 꿈은 꿈으로서 간직하는 것이 오히려 나을 수도 있겠다."

"진짜, 네가 생각하고 쓴 거야? 어디서 베낀 거 아니고? 알았어, 알았어. 인상 쓰지 마. 농담이야 농담. 그러게 나랑 비슷하면서 다른 얘기네. 조금 전에도 얘기했지만 우리가 요즘 비슷한 것들을 느끼고 깨닫게 돼서 그런게 아닐까?"

"최명주, 넌 뭐라고 했는데?" 배역을 더블로 연기하느라 정신이 없었던 영훈이 다시 들려달라는 눈빛을 보냈다.

"우리는 다른 듯 닮은 각자의 삶 속에서 무수히 많은 꿈을 가지고, 희망하고 좌절한다. 시대와 나이의 문제가 아니며 경험의 숫자도 중요치 않다. 모두가 평생을 반복되는 시행착오 속에서 살아간다. 꿈이 맞고 틀린 것이 없듯이,

삶도 정답이 없다. 꿈이 없다고 잘못된 삶은 아니다. 오히려 현재의 자신에게 만족하는 당당한 삶일 수 있다. 간혹 가족이라는 정당성과 친구라는 당위성, 제삼자라는 불합리함으로 자신들이 이루지 못한, 자신과는 상관없는 꿈을 건네곤 한다. 우리는 의도치 않게 주어진 그 꿈에, 자신과는 다른 모습에 부응하기 위해 노력하거나 크고 작은 몸부림으로 항변한다. 좋은 쪽으로 흘러가면 좋겠지만, 강요된 꿈들은 본디 맞지 않는 옷처럼 찢어지고 버려진다. 꿈을 강요할 권리는 누구에게도 부여되지 않는다. 꿈을 가지게 할 자격 따위란 없다. 가지는 것도 가지지 않는 것도, 그것에 도전하는 것도 포기하는 것도 자신의 몫이고 스스로의 선택이다. 그 선택에는 빠른 것과 늦는 것 따위란 없다. 혹시라도 곁에서 무얼 해주고 싶노라면 판단하는 것이 아닌 믿고 응원해주는 것일 테다."

"그러네, 비슷하면서 반대되는. 결국엔 내 행복을 찾겠다는 얘기네. 재밌네."

"그렇지, 그나저나 김영훈. 넌 아무리 그냥 각자 하고 싶은 말을 하기로 했다고 해도 그건 좀 너무하지 않았냐? '앞으로 내 꿈이, 내 가치관이 우리의 행복이야, 결혼해줘서 고마워, 은정아.'" 성우가 놀려대는 투로 영훈의 독백을 읊조렸다.

"우리 오빠 그만 놀려요, 성우 오빠." 영훈 옆을 딱 지키고 선 은정이 성우를 흘겼다.

"네. 제수씨, 제수씨는 왜 따로 안 했어요?"

"꼭 해야 되는 건 아니니까." 미진이 대신 대답했다.

"남미진, 넌 그거 우리들으로고 한 말이지?"

"글쎄."

"언니, 저 못 들었어요! 들려주세요."

"주변을 둘러보면 꿈꿔왔던 삶을 살고 있다고 선뜻 말하는 이가 많지 않다. 세상에 순응하는 법을 배웠고, 도전을 즐기기보다 실패와 좌절에 머뭇거린다. 이것 역시 나쁘지 않다. 가치가 없는 삶이 없듯이 정해진 행복도 없다. 서로의 행복을 강요해서는 안 된다. 각자의 행복엔 자신만의 기준이 있을 뿐이다. 그 기준은 자신만이 안다. 그리고 이제 내 꿈과 행복의 기준을 온전히 가로 지을 수 있다고 방황할 때쯤 우리는 모순에 빠진다.

'힘들어하지 않는 존경스러워야만 하는 사람.'

'언제나 같은 자리에서 내 편이 돼야 하는 사람.'

'힘들거나 지칠 때 기댈 수 있어야 하는 사람.'

'아무렇게나 짜증 내고 신경질 낼 수 있는 사람.'

'나를 위해 꿋꿋이 존재해야 하는 사람.'

우리는 당연하다고 생각해 인식조차 못 했던 기대를 부모에게 강요한다. 언제가 갑자기 늘어난 흰머리와 깊게 팬 주름, 굽어진 어깨와 한없이 줄어든 몸짓에서 감히 실망하기도 한다. 그들은 이 기대들로부터 몸부림칠 수도 도망치거나 모른체할 수도 없다. 하나 그들 역시 부모이기 전에 간절한 꿈을 가졌고 행복하길 원한다. 어쩌면 우리보다 더 청춘에 아파하고 좌절했으며 행복했다. 누구보다 뜨겁게 사랑하고 치열하게 살아냈다. 이제 그 꿈이 가족의 행복이 됐을 뿐이다. 말하지 않을 뿐이다. 말하지 않아서 모를 뿐이다."

"민석이는 뭐라고 한 거야? 다들 너무 좋았다고 하더라고."

미진이 민석이를 다시 대화 속으로 초대했다.

"뭐 원한다면."

"진짜 황민석 성격 적극적으로 바뀐 거 보소."

"너는 행복하기 위해 태어났고 나와 우리에게 희망으로 존재한다. 다른 시선으로 자신을, 또 누구보다 사랑하고 소중한 내 사람들을 불행하게 만드는 잘못을 저지르지 마라. 다른 소리에 아파할 시간에 내가 하고 싶고 듣고 싶은 것에 더 귀를 기울여라. 미워하는 것보다 오히려 사랑하는데 용기가 필요하다. 용기 내서 나를 사랑하고 내 사람을 사랑해라. 내 사람들과 함께 할 수 있는 소중한 시간과 행복을 미루지 마라. 사실 이거 예슬이 할아버지가 예슬이 어머니한테 쓴 편지 내용이야. 돌아가시기 전에 마지막 힘을 다해 쓰셨다나 봐. 왠지 지금 나한테 그리고 우리 모두한테 하시는 얘기인 것 같더라고."

"어떤 건지 대충 알 것 같아."

"예슬이만 생각하면 아직도 너무 미안해. 만나면 지금까지 버텨줘서 정말 고맙다는 말, 딱 이 한마디는 꼭 해주고 싶어."

"그러게, 우리 모두 예슬이 겉만 보고 판단했고 실망하고 미워도 했잖아."

"맞아, 친구라고 그렇게 떠들어 대면서도 서로를 잘 알지도 못했어. 터놓고 얘기하지 못하게 한 것도 있고."

"우린 그냥 곁에서 기다려주고 응원해주자. 그거면 되는 것 같아."

"예슬이는 오늘 못 온 거지?"

"아주머니가 아직 밖으로 다니긴 힘드신 것 같더라고."

민석은 잠시 그때를 떠올렸다. 예슬과 병원에 도착한 민석은 접수센터에 수진이라는 이름을 물었다. 5층 특실에 있고, 입원한지는 1년 남짓 됐다고 했다. 엘리베이터를 타고 올라간 특실 앞에는 문방구 아저씨가 서 있었다. 아저씨는 민석에게 잠시 비켜주자는 눈짓을 보내왔고 함께 1층으로 내려왔다. 약 두 시간 남짓 흐른 후 예슬에게 전화가 왔다. 고맙다며 미안하다며 여기 좀 더 있다가 가야겠다는 말을 수화기 너머로 전해왔다. 평소와 다름없는 목소리였지만, 목소리에서 분명 빛이 났다.

"아, 나중에 예슬이한테 직접 듣는 게 좋을 것 같아, 예슬이도 그러길 원할 것이고. 아, 아버지!?"

조용히 얘기를 전하던 민석은 순간 휘둥그레진 눈을 하고 자리에서 일어 났다.

"영훈이 아버지가 얘기해서 같이 왔어."

"안녕하세요!"

"어, 그래그래. 다들 오랜만이네."

"엄마도 같이 오셨어요?"

"한 명은 일해야지. 둘 다 자리를 어떻게 비우것어."

민석 아버지는 잠시 생각하는 표정을 짓더니 민석에게 다가갔다.

"고생했다."

민석은 아버지가 어떤 용기로 여기까지 왔고 방금 그 고생했다는 말이 어 떤 의미인지 누구보다 잘 알고 있었다.

"고마워요. 죄송해요, 아버지."

민석 아버지는 다른 말 없이 고개를 끄덕이며 민석에게 웃어 보였다.

"아버님!" 은정이 뒤에서 지켜서있던 진욱을 발견하고 소리쳤다.

"어이구, 그래 우리 아가. 우리 은정이가 젤 잘하고 예쁘더라."

"아버지, 보기는 하고 얘기하시는 거예요? 시작하자마자 주무신거 다 봤어 요."

"자기는 인마, 내 다 봤다."

"그럼요, 우리 아버님 저랑 눈도 마주쳤는걸요. 참! 고생 많으셨습니다" 은 정이 크게 소리치며 진석을 향해 꾸벅 머리를 숙였다. 영훈과 영훈 아버지는 영문을 몰라 은정이 하는 것을 가만히 보고 듣고 있었다.

"오빠들 요즘 만나기만 하면 하는 말이 부모님들도 똑같이 청춘과 사랑에 아파하고 꿈을 꾸며 살았었다는 건데, 항상 오빠들끼리만 얘기하면 뭐 하겠어요. 정작 전해드려야 할 당사자에게 한마디도 직접 못하면서."

"그럼 우리는 청춘이 없었는줄 알았나, 우리는 뭐 날 때부터 너거들 엄마 아빤지 아나, 뭐 그래도 알아주니 고맙네."

"아버님 우리 사진 찍어요."

"이렇게 다들 오실 줄 알았으면 우리 부모님에게도 말씀드릴 걸 그랬다. 그러지 말고 우리 무대에서 전부 단체 사진 한 번 찍어요." 명주가 무대 쪽 커튼을 젖히고 말했다.

"우리 어머님도 오신 걸로 알고 있는데."

미진이 어머님을 찾아 두리번대는 성우를 눈치채고 얘기를 꺼냈다.

"지애 얘기하는건가? 성우 엄마 얘기하는 거면 밖에서 예슬 엄마하고 같이 있는거 봤어. 태성이도 같이 있었고. 거기는 할 얘기가 많을 거야."

영훈의 아버지가 문 쪽을 가리키며 말했다.

"얘들아!"

"강예슬!"

"공연 정말 최고였어."

"뭐야, 언제 왔어, 우린 너 못 올줄 알았는데."

"나 조금 늦게와서 맨 뒷자리에 있어서 못봤을꺼야. 그래도 처음부터 끝까지 다 봤다고."

"잘 됐다. 얼른 다 같이 사진 찍자. 남는건 사진밖에 없어."

"응, 잠깐만 나가서 다들 모시고 올게."

예슬은 누가 말릴 새도 없이 무대 밑으로 뛰어 내렸다. 민석 아버지는 중학생이 된 후 한 번도 잡아보지 못한 아들의 손을 잡았고, 은정은 영훈과 영훈 아버지의 팔을 끌어 당겼다. 문쪽으로 달리는 예슬의 걸음이 무척이나 가벼워 보였다. 뒤쪽으로 비친 얼굴 곳곳에 지금껏 본 적 없는 해맑은 웃음이 담겨 있다. 다들 그런 예슬을 보고 또 서로를 확인하고 미소로 답했다. 세대를 건넜음에도 굽이굽이 겹쳐있던 각자의 삶. 그 닮음의 이음새를 끊어내기에 괜찮은 오늘이다. 알고 있었던 것 보다 알게 되는 것이 많아졌다. 익숙함보다 새로움이 많아진다. 서른다섯, 다시 시작하기에 꽤 좋은 나이다.